GLI ADELPHI

339

Fra il 1931 e il 1972 Georges Simenon (1903-1989) ha pubblicato 76 romanzi e 26 racconti dedicati alle inchieste di Maigret.
Come mai in *Maigret et le clochard* (composto nel maggio 1962 e pubblicato l'anno successivo) il commissario si appassiona tanto al caso di François Keller, l'inoffensivo, muto barbone che qualcuno ha tentato di uccidere? Come mai ha la perturbante sensazione di *capirlo*? Forse perché Keller, come Jean Darchambaux – il bruto non meno silenzioso del *Cavallante della «Providence»* –, un tempo era un medico, e ha compiuto un drammatico *passage de la ligne*. Ma forse anche perché Maigret, pur appartenendo alla brava gente, ha passato la maggior parte del suo tempo a contatto con «l'altra faccia del mondo» e ne conosce il linguaggio segreto. Un misterioso sapere che si paga con l'innocenza.
Presso Adelphi sono in corso di pubblicazione tutte le opere di Simenon.

Georges Simenon

Maigret e il barbone

TRADUZIONE DI LAURA FRAUSIN GUARINO

ADELPHI EDIZIONI

TITOLO ORIGINALE:
Maigret et le clochard

Le inchieste del commissario Maigret
escono a cura di Ena Marchi e Giorgio Pinotti

WWW.ADELPHI.IT

ISBN 978-88-459-2341-8

MAIGRET E IL BARBONE

1

Accadde fra il quai des Orfèvres e il pont Marie: Maigret ebbe come una battuta d'arresto, ma così breve che Lapointe, pur camminandogli a fianco, non vi fece caso. Eppure per qualche secondo, forse meno di un secondo, il commissario era tornato indietro negli anni, a quando aveva l'età del suo collega.

Probabilmente dipendeva dalla qualità dell'aria, dalla sua luminosità, dalla sua fragranza, dal suo sapore. C'era stata una mattina così, molte mattine così al tempo in cui, giovane ispettore appena entrato nella Polizia giudiziaria – che i parigini chiamavano ancora la Sûreté –, Maigret prestava servizio nella polizia urbana e andava su e giù per le strade di Parigi dalla mattina alla sera.

Benché fosse già il 25 di marzo, era la prima autentica giornata di primavera, e un ultimo acquazzone notturno, accompagnato da lontani brontolii di tuono, l'aveva resa ancora più limpida. Era anche la prima volta che Maigret lasciava il cappotto nell'armadio del suo ufficio, e la brezza, a tratti, gli gonfiava la giacca sbottonata.

A causa di quella ventata di giovinezza il commissario aveva adottato inconsapevolmente il suo passo di un tempo, né lento né rapido, non quello di chi si ferma incuriosito a osservare i piccoli fatti della strada, e neppure quello di chi cammina con una meta precisa.

Con le mani dietro la schiena, guardava intorno a sé, a destra, a sinistra, per aria, registrando immagini alle quali da un bel pezzo non prestava più attenzione.

Per un tragitto così breve non era il caso di prendere una delle automobili nere di servizio allineate nel cortile della Polizia giudiziaria, e i due uomini procedevano a piedi sul lungosenna. Sul sagrato di Notre Dame il loro passaggio aveva fatto volar via un nugolo di piccioni, e c'era già un pullman di turisti, un grosso pullman giallo che veniva da Colonia.

Superata la passerella di ferro, avevano raggiunto l'Île Saint-Louis, e nel riquadro di una finestra Maigret aveva notato una giovane cameriera col grembiulino e la crestina bianca di pizzo che sembrava uscita da una commedia dei boulevards. Un po' più in là il garzone di un macellaio, anche lui col camiciotto da lavoro, faceva una consegna, e un postino usciva da uno stabile.

Le gemme si erano aperte quella mattina stessa, picchiettando gli alberi di macchioline verde tenero.

«La Senna è ancora alta» osservò Lapointe, che fino a quel momento non aveva aperto bocca.

Infatti. Da un mese era già tanto se smetteva di piovere per qualche ora, e quasi ogni sera si vedevano in televisione fiumi in piena, città e villaggi dalle strade allagate. L'acqua della Senna, giallastra, trascinava detriti, vecchie casse, rami d'albero.

I due uomini seguirono il quai de Bourbon fino al pont Marie, che attraversarono con passo tranquillo; da lì potevano scorgere, a valle, una chiatta grigia contrassegnata dal triangolo bianco e rosso della Compagnie Générale, dipinto a prora. Si chiamava *Poitou*, e una gru, i cui ansiti e cigolii si confondevano con i rumori indistinti della città, scaricava la sabbia che riempiva la stiva.

A monte, a una cinquantina di metri dalla prima, era ormeggiata un'altra chiatta. Era più pulita, quasi l'avessero lavata a fondo la mattina stessa, e una bandiera belga sventolava pigramente a poppa mentre, vicino alla cabina bianchissima, un bambinetto dormiva in un'amaca di tela a mo' di culla e un uomo molto alto, dai capelli di un biondo slavato, guardava in direzione della banchina come se aspettasse qualcosa.

Il nome del battello, impresso in lettere dorate, era *De Zwarte Zwaan*, un nome fiammingo del tutto incomprensibile per Maigret come per Lapointe.

Mancavano due o tre minuti alle dieci. Il commissario e l'ispettore giunsero al quai des Célestins, e proprio mentre si accingevano a scendere lungo la rampa di accesso al porto, un'automobile si fermò e tre uomini ne scesero sbattendo la portiera.

«To'! Arriviamo tutti insieme...».

Venivano anche loro dal Palazzo di Giustizia, ma dalla parte più imponente, quella riservata ai magistrati. C'erano il sostituto procuratore Parrain, il giudice Dantziger e un vecchio cancelliere di cui Maigret non ricordava mai il nome, benché lo avesse incontrato centinaia di volte.

La gente che passava indaffarata, i bambini che giocavano sul marciapiede di fronte non immaginavano di trovarsi davanti a un sopralluogo della Procura. In quel mattino sereno, la scena non aveva niente di solenne. Il sostituto tirò fuori di tasca un portasigarette d'oro e lo tese meccanicamente a Maigret che aveva in bocca la solita pipa.

«Ah, già!... Dimenticavo...».

Era alto, biondo e snello, molto distinto, e il commissario pensò per l'ennesima volta che doveva essere una peculiarità dei funzionari della Procura. Il giudice Dantziger invece era piccolo e grassoccio, vestito in modo trasandato. Si trovano magistrati di ogni genere, ma, chissà perché, quelli della Procura sembravano tutti, chi più chi meno, attaché di qualche ministero: ne avevano i modi, l'eleganza e spesso la spocchia...

«Vogliamo andare, signori?».

Scesero la rampa dal selciato irregolare e arrivarono in riva all'acqua, non lontano dalla chiatta.

«È questa?».

Maigret non ne sapeva molto più dei suoi compagni. Aveva solo letto, nei rapporti del giorno, il breve resoconto di quanto era successo nel corso della notte, e mezz'ora prima aveva ricevuto una telefonata in cui gli si chiedeva di assistere al sopralluogo della Procura.

La cosa non gli dispiaceva affatto. Ritrovava un mondo, un ambiente già conosciuto in tante occasioni. Avanzarono tutti e cinque verso la chiatta a motore che una passerella collegava alla banchina, mentre il marinaio biondo si faceva loro incontro.

«Mi dia la mano, è meglio...» disse al sostituto che apriva la fila.

L'accento fiammingo era molto pronunciato. Il viso dai lineamenti marcati, gli occhi chiari, le grandi braccia, il modo di muoversi ricordavano i ciclisti del suo paese che vengono intervistati dopo le corse.

Lì, il rumore della gru che scaricava la sabbia si sentiva più forte.

«Lei si chiama Joseph Van Houtte?» domandò Maigret dopo aver dato un'occhiata a un foglio.

«Jef Van Houtte, sissignore».

«È il proprietario di questo battello?».

«Certo che sono il proprietario, signore, e chi se no?».

Dalla cabina saliva un buon odore di cucina, e in fondo alla scala rivestita di linoleum a fiori si intravedeva una donna molto giovane che andava su e giù.

Maigret indicò il bambino nella culla.

«È suo figlio?».

«Non è un figlio, signore; è una figlia, e si chiama Yolande come mia sorella, che è anche la sua madrina...».

Il sostituto Parrain, fatto segno al cancelliere di prendere appunti, pensò bene di intervenire.

«Ci racconti quello che è successo».

«Be', l'ho tirato fuori dall'acqua e il collega dell'altro battello mi ha aiutato...».

Indicava il *Poitou*, a poppa del quale un uomo, appoggiato al timone, guardava dalla loro parte come aspettando il suo turno.

Un rimorchiatore passò lentamente azionando a più riprese la sirena e risalendo la corrente con quattro chiatte al seguito. Ogni volta che una di queste arrivava all'altezza dello *Zwarte Zwaan*, Jef Van Houtte alzava il braccio destro a mo' di saluto.

«Conosceva l'annegato?».

«Mai visto in vita mia...».

«Da quanto tempo è ormeggiato a questa banchina?».

«Da ieri sera. Vengo da Jeumont con un carico di ardesia da portare a Rouen... Contavo di attraversare Parigi e fermarmi per la notte alla chiusa di Suresnes... Ma improvvisamente mi sono accorto che nel motore c'era qualcosa che non andava... A noi non piace molto dormire nel bel mezzo della città, capisce?...».

Da lontano, Maigret distingueva due o tre barboni fermi sotto il ponte e, in mezzo a loro, una donna molto grassa che gli sembrava di avere già vista.

«Com'è successo? L'uomo si è buttato in acqua?».

«Non credo proprio, signore. Se si fosse buttato in acqua, che cosa ci sarebbero venuti a fare, qui, quegli altri due?».

«Che ora era? E lei dove si trovava? Ci riferisca con precisione tutto quello che è successo nel corso della serata. Ha ormeggiato la chiatta alla banchina poco prima che facesse buio?».

«Esatto».

«Ha notato un barbone sotto il ponte?».

«Non è una cosa che si nota. Ce ne sono quasi sempre».

«Dopo che cosa ha fatto?».

«Abbiamo cenato, Hubert, Anneke e io...».

«Chi è Hubert?».

«È mio fratello. Lavora con me. Anneke è mia moglie. Il suo nome è Anna, ma noi la chiamiamo Anneke...».

«E poi?».

«Mio fratello si è messo il vestito buono ed è andato a ballare. È l'età, no?».

«Quanti anni ha?».

«Ventidue».

«Adesso è qui?».

«È uscito per fare le provviste. Tornerà fra poco».

«Che cosa ha fatto dopo cena?».

«Sono andato a controllare il motore. Ho visto subito che c'era una perdita d'olio, e siccome contavo di partire stamattina ho riparato il guasto».

Lanciava ora all'uno ora all'altro rapide occhiate, con la diffidenza di chi non è abituato ad avere a che fare con la polizia.

«E quando ha finito?».

«Non sono riuscito a finire. Ho terminato il lavoro solo questa mattina».

«Dove si trovava quando ha sentito gridare?».

L'uomo si grattò la testa e guardò davanti a sé il vasto ponte scintillante di pulizia.

«Per prima cosa sono risalito per fumarmi una sigaretta e per vedere se Anneke dormiva».

«A che ora?».

«Verso le dieci... Non so esattamente...».

«E sua moglie dormiva?».

«Sissignore. E dormiva anche la piccola. Certe notti piange perché sta mettendo i denti...».

«È tornato giù a occuparsi del motore?».

«Certo!...».

«La cabina era al buio?».

«Sissignore, visto che mia moglie dormiva...».

«Anche il ponte?».

«Sicuro!».

«E poi?».

«Poi, ma molto dopo, ho sentito il rumore di un motore, come se un'auto si fosse fermata vicino al battello».

«Non è andato a vedere?».

«Nossignore. Perché avrei dovuto?».

«Continui».

«Dopo un po' c'è stato un tonfo...».

«Come se qualcuno fosse caduto nella Senna?».

«Sissignore».

«E allora?».

«Ho salito la scala e ho messo la testa fuori dal boccaporto».

«E che cosa ha visto?».

«Due uomini che correvano verso l'auto...».

«Dunque c'era effettivamente un'auto...».

«Sissignore. Un'auto rossa. Una Peugeot 403».

«C'era abbastanza luce perché riuscisse a distinguerla?».

«Sì, giusto in quel punto c'è un lampione».
«Com'erano i due uomini?».
«Il più basso portava un impermeabile chiaro ed era largo di spalle».
«E l'altro?».
«Non l'ho visto molto bene perché si è infilato in macchina per primo e ha messo subito in moto...».
«Ricorda per caso il numero di immatricolazione?».
«Il che?».
«Il numero scritto sulla targa».
«So solo che c'erano due 9 e che finiva con 75...».
«Quando ha sentito gridare?».
«Quando l'automobile si è messa in moto...».
«In altre parole, è passato un po' di tempo tra il momento in cui l'uomo è stato gettato in acqua e il momento in cui ha gridato... Altrimenti lo avrebbe sentito gridare prima...».
«Be', penso di sì. Di notte c'è più silenzio di adesso».
«Che ora era?».
«Mezzanotte passata...».
«C'era gente sul pont Marie?».
«Non stavo lì a guardare per aria...».
In alto, sul lungosenna, alcuni passanti si erano fermati, incuriositi da quegli uomini che discutevano sul ponte di un battello. Maigret ebbe l'impressione che i barboni fossero venuti avanti di qualche metro. Quanto alla gru, continuava a tirar su la sabbia dalla stiva del *Poitou* e a riversarla nei camion che sostavano in attesa.
«Ha gridato forte?».
«Sissignore...».
«Che genere di grida? Chiamava aiuto?».
«Gridava... Poi non si sentiva più niente... Poi...».
«Lei che cosa ha fatto?».

«Sono saltato nella barca di salvataggio e l'ho slegata...».

«Riusciva a vedere l'uomo che stava annegando?».

«Nossignore... Non subito... Il capitano del *Poitou* doveva aver sentito le grida anche lui, perché correva su e giù sul suo battello cercando di acchiappare qualcosa con la gaffa...».

«Continui...».

Si vedeva che il fiammingo faceva il possibile, ma non senza difficoltà, tanto che il sudore gli imperlava la fronte.

«Diceva: là!... là!».

«Chi?».

«Il capitano del *Poitou*».

«E lei ha visto qualcosa?».

«Un po' vedevo e un po' non vedevo più...».

«Perché il corpo affondava?».

«Sissignore... E veniva trascinato via dalla corrente...».

«Anche la sua barca, suppongo...».

«Già... Il collega ci è saltato dentro...».

«Quello del *Poitou*?».

Jef sospirò, pensando probabilmente che i suoi interlocutori fossero un po' duri di comprendonio. Per lui era molto semplice, e doveva aver vissuto episodi come quello più di una volta.

«Lo avete ripescato insieme?...».

«Sì...».

«In che stato era?».

«Aveva ancora gli occhi aperti, e una volta sulla barca si è messo a vomitare...».

«Ha detto qualcosa?».

«Nossignore».

«Sembrava spaventato?».

«Nossignore».

«E allora com'era?».

«Mah, non saprei. Alla fine non si è più mosso e l'acqua ha continuato a uscirgli dalla bocca».

«Teneva sempre gli occhi aperti?».

«Sissignore. Ho pensato che fosse morto».

«È andato a chiedere aiuto?».

«No, non sono stato io».

«Allora il capitano del *Poitou*?».

«Neppure. Qualcuno ci ha chiamato dal ponte».

«Quindi c'era qualcuno sul pont Marie?».

«In quel momento sì. E ci ha chiesto se c'era un annegato. Ho risposto di sì, e lui ha gridato che andava ad avvertire la polizia».

«Lo ha fatto?».

«Penso di sì, perché poco dopo sono arrivati due poliziotti in bicicletta».

«Pioveva già?».

«Ha cominciato a piovere e a tuonare quando abbiamo issato il tizio sul ponte».

«Del suo battello?».

«Sì...».

«Sua moglie si è svegliata?».

«In cabina c'era luce, e Anneke si era infilata un cappotto e ci guardava».

«Quand'è che ha visto il sangue?».

«Quando abbiamo steso l'uomo vicino al timone. Gli usciva da uno spacco che aveva sulla testa».

«Uno spacco?».

«Un buco... Non so come lo chiamate...».

«I poliziotti sono arrivati subito?».

«Quasi subito, sì».

«E il passante che li aveva avvertiti?».

«Quello non l'ho più visto».

«Non sa chi fosse?».

«Nossignore».

Bisognava fare un certo sforzo, nella luce del mattino, per immaginare quella scena notturna che Jef Van Houtte raccontava meglio che poteva, cercando le parole come se dovesse tradurle una a una dal fiammingo.

«Lei probabilmente sa che, prima di essere gettato in acqua, l'uomo è stato colpito alla testa...».

«È quello che ha detto il dottore. I poliziotti ne hanno chiamato subito uno. Poi è arrivata un'ambulanza che ha portato via il ferito, dopodiché ho dovuto lavare il ponte perché c'era rimasta una grande pozza di sangue...».

«Secondo lei come sono andate le cose?».

«Io non lo so, signore».

«Ai poliziotti lei ha detto...».

«Ho detto quello che pensavo, no?».

«Ce lo ripeta».

«Immagino che dormisse sotto il ponte...».

«Ma lo aveva mai visto, prima?».

«Non ci avevo fatto caso... C'è sempre gente che dorme sotto i ponti...».

«Bene. Una macchina è scesa giù per la rampa...».

«Un'auto rossa... Di questo sono sicuro...».

«E si è fermata non lontano dalla sua chiatta?».

Fece sì con la testa e tese il braccio verso un certo punto dell'argine.

«Il motore è rimasto acceso?».

Questa volta la testa fece segno di no.

«Ma ha sentito dei passi?».

«Sissignore».

«I passi di due persone?».

«Ho visto due tizi che tornavano verso l'auto...».

«Li ha visti anche dirigersi verso il ponte?».

«Stavo riparando il motore, giù nella stiva».

«Quei due individui, uno dei quali indossava un impermeabile chiaro, avrebbero dunque picchiato selvaggiamente il barbone che dormiva e l'avrebbero gettato poi nella Senna?».

«Quando sono salito in coperta, l'uomo era già in acqua...».

«Il referto medico afferma che la ferita alla testa non può essere stata causata dal tuffo in acqua... E neppure da una caduta accidentale sul bordo del lungosenna...».

Van Houtte li guardava con l'aria di dire che quello non era affar suo.

«Possiamo interrogare sua moglie?».

«Non ho niente in contrario. Però Anneke non vi capirà, parla solo il fiammingo...».

Il sostituto procuratore guardò Maigret come per chiedergli se avesse domande da fare, e il commissario scosse la testa. Eventuali domande le avrebbe fatte più tardi, quando i signori della Procura se ne fossero andati.

«Quand'è che potremo partire?» chiese Van Houtte.

«Non appena avrà firmato la deposizione, e purché ci comunichi dov'è diretto...».

«A Rouen».

«Dovrà via via tenerci al corrente dei suoi spostamenti. Il cancelliere verrà a farle firmare la testimonianza».

«Quando?».

«Probabilmente nel primo pomeriggio...».

La cosa sembrò contrariare il marinaio.

«A proposito, a che ora suo fratello è tornato a bordo?».

«Poco dopo che l'ambulanza se n'è andata».

«La ringrazio...».

Jef Van Houtte lo aiutò di nuovo ad attraversare la stretta passerella e il gruppetto si diresse alla volta del ponte, mentre i barboni arretravano di qualche metro.

«Che cosa ne pensa, Maigret?».

«Che è un po' strano. Non capita quasi mai che qualcuno aggredisca un barbone...».

Sotto l'arcata del pont Marie, contro il muro di pietra, c'era una specie di nicchia. Qualcosa di informe e indefinibile, ma che pure era stato per un po', così sembrava, il rifugio di un essere umano.

Lo stupore del sostituto era un po' comico a vedersi, e Maigret non poté fare a meno di dirgli:

«È così sotto tutti i ponti. E c'è un riparo del genere proprio di fronte ai nostri uffici».

«La polizia non fa niente?».

«Se li smantella, rispuntano un po' più in là...».

Erano fatti di vecchie casse, di pezzi di telone, e c'era giusto lo spazio perché un uomo potesse rannicchiarvisi. Per terra, paglia, coperte stracciate e giornali sprigionavano un forte odore malgrado la corrente d'aria.

Il sostituto procuratore si guardava bene dal toccare alcunché, e fu Maigret a chinarsi per effettuare un rapido inventario.

Un cilindro di latta, con dei buchi e una griglia, doveva fungere da fornello, ed era ancora cosparso di cenere biancastra. Vicino, pezzi di carbonella raccolti dio sa dove. Smuovendo le coperte, il commissario scovò una sorta di tesoro: due tozzi di pane raffermo, dieci centimetri circa di salsiccia con l'aglio e, più in là, alcuni libri di cui lesse sottovoce i titoli.

Sagesse, di Verlaine... *Oraisons funèbres,* di Bossuet...

Raccolse un fascicolo che doveva essere stato a lungo sotto la pioggia, probabilmente raccattato in qualche pattumiera. Era un vecchio numero della «Presse médicale»...

Infine, la metà di un libro: solo la seconda metà del *Mémorial de Sainte-Hélène.*

Il giudice Dantziger sembrava stupefatto quanto il procuratore.

«Strane letture» osservò.

«Forse non aveva la possibilità di scegliere...».

Sempre sotto le coperte bucate Maigret scoprì alcuni indumenti: un maglione grigio molto rattoppato con macchie di colore, probabilmente appartenuto a un pittore, un paio di pantaloni di un tessuto robusto e giallastro, pantofole di feltro dalla suola bucata e cinque calzini spaiati. Da ultimo, un paio di forbici con una delle punte spezzata.

«L'uomo è morto?» domandò il sostituto Parrain tenendosi alla larga come se temesse di prendere le pulci.

«Un'ora fa, quando ho telefonato all'ospedale, era ancora vivo».

«Sperano di salvarlo?».

«Fanno il possibile... Ha una frattura al cranio, e inoltre c'è il rischio di una polmonite...».

Intanto Maigret spostava una sgangherata carrozzina di cui l'uomo doveva servirsi quando andava a rovistare nelle pattumiere. Girandosi verso il gruppetto di barboni che continuavano a mostrarsi interessati, osservò quei volti uno a uno. Alcuni giravano la testa, altri avevano solo un'aria ebete.

«Tu, avvicinati!...» disse alla donna indicandola col dito.

Se la cosa fosse avvenuta trent'anni prima, quando prestava servizio nella polizia urbana, Maigret avrebbe potuto dare un nome a ogni volto, perché a quell'epoca conosceva la maggior parte dei senzatetto di Parigi.

Non erano poi cambiati tanto, del resto. Ce n'erano solo molti di meno.

«Dov'è che dormi?».

La donna gli sorrise, come per blandirlo.

«Là...» rispose, additando il pont Louis-Philippe.

«Conoscevi il tizio che hanno ripescato la notte scorsa?».

Aveva la faccia gonfia e l'alito che sapeva di vino acido. Scrollò la testa, le mani sul ventre.

«Noi lo chiamavamo il Dottore».

«Perché?».

«Perché era uno istruito... dicono che è stato davvero un medico, una volta...».

«È da tanto che viveva sotto i ponti?».

«Anni...».

«Quanti?».

«Non so... Non li conto più...».

L'idea la fece ridere, e respinse una ciocca grigia che le ricadeva sulla faccia. Con la bocca chiusa le si sarebbero dati circa sessant'anni, ma, quando parlava, la mascella quasi interamente sdentata la faceva sembrare molto più vecchia. Gli occhi, però, erano ancora vivaci. Di tanto in tanto si girava verso gli altri, come per prenderli a testimone.

«Non è così?» chiedeva loro.

E quelli annuivano, benché si sentissero a disagio in presenza della polizia e di quei signori troppo ben vestiti.

«Viveva da solo?».

La domanda la fece ridere di nuovo.

«E con chi doveva vivere?».

«Ha sempre abitato sotto questo ponte?».

«Non sempre... Io l'ho conosciuto sotto il Pont-Neuf... E, prima, in quai de Bercy...».

«Andava a cercar da mangiare alle Halles?».

Non era lì che la maggior parte dei senzatetto si ritrova di notte?

«No» rispose la donna.

«Frugava nelle pattumiere?».

«Qualche volta...».

Dunque, malgrado la carrozzina, l'uomo non trafficava con stracci e giornali vecchi, il che spiegava come mai, a notte non ancora inoltrata, stesse già dormendo.

«Faceva soprattutto l'uomo-sandwich...».
«Cos'altro sai di lui?».
«Niente...».
«Ti ha mai parlato?».
«Ma certo!... Ero io che ogni tanto gli tagliavo i capelli... Ci si aiuta l'un l'altro...».
«Beveva molto?».
La domanda non aveva molto senso, Maigret lo sapeva, perché bevevano più o meno tutti.
«Vino rosso?».
«Come gli altri».
«Molto?».
«Ubriaco non l'ho mai visto... Non è come me...».
E rise ancora.
«Io lei la conosco, sa, e so che non è cattivo. Una volta mi ha interrogata nel suo ufficio, molto tempo fa, saranno forse vent'anni, quando battevo ancora il marciapiede alla porte Saint-Denis...».
«Hai sentito niente, la notte scorsa?».
La donna indicò col braccio il pont Louis-Philippe, come per sottolineare la distanza che lo separa dal pont Marie.
«È troppo lontano...».
«E hai visto qualcosa?».
«Solo i fari dell'ambulanza... Mi sono avvicinata un po', ma non troppo, per paura che mi sbattessero dentro, e ho visto che era un'ambulanza...».
«E voi?» domandò Maigret, rivolto ai tre barboni.
Quelli scossero il capo, sempre un po' sul chi vive.
«Se andassimo a parlare con il marinaio del *Poitou*?» propose il sostituto procuratore, chiaramente a disagio in quell'ambiente.
L'uomo, un tipo molto diverso dal fiammingo, li stava aspettando. Anche lui aveva a bordo moglie e figli, ma la chiatta non era di sua proprietà e faceva quasi sempre lo stesso tragitto, dalle cave di sabbia

dell'alta Senna a Parigi. Si chiamava Justin Goulet, aveva quarantacinque anni, le gambe corte, occhi vispi e una sigaretta spenta incollata alle labbra.

Lì bisognava parlare a voce alta, per via del fracasso della gru che continuava a scaricare la sabbia.

«È strano, no?».

«Che cosa è strano?».

«Che qualcuno si prenda la briga di massacrare di botte un barbone e di scaraventarlo in acqua...».

«Ha visto chi è stato?».

«Non ho visto un bel niente».

«Lei dove si trovava?».

«Quando hanno pestato il tizio? Nel mio letto...».

«Che cosa ha sentito?».

«Ho sentito qualcuno che gridava...».

«Non una macchina?».

«È possibile che abbia sentito anche una macchina, ma ne passano in continuazione, lassù, sul lungosenna, e non ci ho fatto caso...».

«È salito in coperta?».

«Sì, in pigiama... Non sono neanche stato lì a infilarmi i pantaloni...».

«E sua moglie?».

«Ha detto nel sonno:

«"Dove vai?..."».

«Che cosa ha visto, una volta arrivato sul ponte?».

«Niente... La Senna che scorreva come sempre, facendo dei mulinelli... Ho gridato: "Ehi! Ehi!..." in modo che il tizio mi rispondesse e io riuscissi a capire in che punto si trovava...».

«Dov'era Jef Van Houtte in quel momento?».

«Il fiammingo?... L'ho visto sul ponte del suo battello che stava slegando la scialuppa... Quando è arrivato alla mia altezza, spinto dalla corrente, ci sono saltato dentro... Quell'altro, in acqua, ogni tanto veniva a galla e poi spariva... Il fiammingo ha cercato di acchiapparlo agganciandolo con la mia gaffa...».

«Una gaffa che ha in cima un grosso uncino di ferro?».

«Sì, come tutte le gaffe...».

«Non potreste averlo ferito alla testa cercando di agganciarlo così?».

«No, impossibile... Alla fine lo abbiamo ripescato pigliandolo per il fondo dei pantaloni... Mi sono chinato subito e l'ho afferrato per una gamba...».

«Era svenuto?».

«Aveva gli occhi aperti».

«Ha detto qualcosa?».

«Ha vomitato acqua... Solo dopo, sul battello del fiammingo, ci siamo accorti che sanguinava...».

«Credo sia tutto...» mormorò il sostituto procuratore, che non sembrava particolarmente interessato a quella storia.

«Mi occuperò del resto» disse Maigret.

«Pensa di andare subito all'ospedale?».

«Ci andrò tra poco. Secondo i medici, ci vorranno ancora ore prima che sia in grado di parlare...».

«Mi tenga al corrente...».

«Non mancherò...».

Mentre passavano di nuovo sotto il pont Marie, Maigret disse a Lapointe:

«Va a telefonare al commissariato di zona che mi mandino un uomo».

«Dove la ritrovo, capo?».

«Qui...».

Poi strinse solennemente la mano ai signori della Procura.

2

«Sono dei giudici?» domandò la grassa barbona guardando i tre uomini che si allontanavano.

«Magistrati» corresse Maigret.

«Non è lo stesso?».

E, dopo un leggero fischio:

«Accidenti, si disturbano come per uno dell'alta società! Allora era davvero un dottore?».

Maigret non ne aveva la più pallida idea. E sembrava non avesse fretta di appurarlo. Viveva nel presente con la continua impressione di cose già vissute molto tempo prima. Lapointe era sparito oltre la rampa, e il sostituto procuratore, scortato dal piccolo giudice e dal cancelliere, camminava facendo attenzione a dove metteva i piedi per paura di sporcarsi le scarpe.

Bianco e nero nel sole, lo *Zwarte Zwaan* era immacolato all'esterno come doveva esserlo, all'interno, la cucina. L'imponente fiammingo, in piedi vicino alla ruota del timone, guardava dalla parte del commissario, e una donna minuta, una vera donna-bambina dai capelli di un biondo quasi bianco, stava china sulla culla del bebè e gli cambiava il pannolino.

Il ronzio dei motori delle automobili che passavano lassù, in quai des Célestins, e il rumore della gru che scaricava la sabbia dal *Poitou* erano incessanti, ma non impedivano di sentire il cinguettio degli uccelli e lo sciabordio dell'acqua.

I tre barboni continuavano a starsene in disparte, e solo la donna seguiva il commissario in ricognizione sotto il ponte. La sua camicetta, che in origine doveva essere rossa, era diventata rosa confetto.

«Come ti chiami?».

«Léa. Ma tutti mi chiamano Léa la cicciona...».

E rise, facendo ballonzolare i seni enormi.

«Dov'eri la notte scorsa?».

«Gliel'ho detto».

«C'era qualcuno con te?».

«Solo Dédé, il piccoletto laggiù, quello che volta le spalle».

«È il tuo amico?».

«Sono tutti miei amici».

«Dormi sempre sotto lo stesso ponte?».

«Qualche volta cambio... Cosa sta cercando?».

Maigret, infatti, si era di nuovo chinato a osservare gli oggetti disparati che costituivano il tesoro del Dottore. Si sentiva più a suo agio, adesso che i magistrati se n'erano andati. Se la prendeva comoda, e finì per scoprire, sotto i cenci, una padella per friggere, una gamella, un cucchiaio e una forchetta.

Poi si provò un paio di occhiali dalla montatura d'acciaio e una lente rotta, col risultato di ritrovarsi con la vista annebbiata.

«Li metteva solo per leggere» spiegò Léa la cicciona.

«Quello che mi stupisce» cominciò guardandola con insistenza «è di non trovare...».

Lei non lo lasciò finire, si allontanò di qualche

metro e, da dietro una grossa pietra, tirò fuori una bottiglia da un litro ancora mezza piena di un vino violaceo.

«Ne hai bevuto?».

«Sì, e pensavo di finire il resto. In ogni modo non sarà più buono quando il Dottore tornerà».

«Quando l'hai preso?».

«Stanotte, dopo che l'ambulanza se n'è andata...».

«Hai toccato nient'altro?».

Con un'espressione seria, la donna sputò per terra.

«Giuro!».

Maigret le credeva. Sapeva per esperienza che un barbone non deruba i suoi simili. D'altronde è raro che rubino in generale, non solo perché verrebbero immediatamente scoperti, ma anche per una sorta di indifferenza.

Di fronte, sull'Île Saint-Louis, le finestre aperte davano su appartamenti confortevoli, e s'intravedeva una donna che, seduta alla toeletta, si spazzolava i capelli.

«Sai dove comprava il vino?».

«L'ho visto uscire parecchie volte da un bistrot della rue de l'Ave-Maria... È qui vicino... Sull'angolo della rue des Jardins...».

«Com'era il Dottore con gli altri?».

La donna, volendo mostrarsi collaborativa, ci pensò su.

«Non saprei... Non molto diverso...».

«Parlava mai della sua vita?».

«Qui non lo fa nessuno... Oppure bisogna che uno sia davvero ubriaco...».

«E lui non era mai ubriaco?».

«Proprio ubriaco, mai...».

Dal mucchio di giornali vecchi che l'uomo si metteva addosso per ripararsi dal freddo Maigret aveva tirato fuori un cavalluccio di legno colorato con una zampa rotta. La scoperta non lo stupì. E non stupì neppure Léa la cicciona.

Un uomo che era appena sceso lungo la rampa con passo elastico e silenzioso e che portava delle espadrilles si stava avvicinando alla chiatta belga. Teneva in ciascuna mano una rete piena di provviste, da cui si vedevano spuntare due grosse pagnotte e delle foglie di porro.

Era senz'altro il fratello di Jef Van Houtte: sembrava infatti una sua versione più giovane e con i tratti meno marcati. Indossava pantaloni di tela azzurra e un maglione a righe. Una volta a bordo, si mise a parlare con il fratello, guardando poi in direzione del commissario.

«Non toccare niente... Forse avrò ancora bisogno di te... E se ti giungesse all'orecchio qualcosa...».

«Ma lei mi ci vede a presentarmi nel suo ufficio in queste condizioni?».

E di nuovo scoppiò a ridere all'idea. Poi, indicando la bottiglia, chiese:

«Posso finirla io?».

Maigret annuì e mosse incontro a Lapointe che tornava in compagnia di un agente in divisa. A quest'ultimo diede il compito di sorvegliare quel mucchio di stracci che rappresentava tutta la fortuna del Dottore fino all'arrivo di un perito della Scientifica.

Sempre accompagnato da Lapointe, Maigret si diresse quindi alla volta dello *Zwarte Zwaan.*

«Lei è Hubert Van Houtte?».

Più taciturno o più diffidente del fratello, questi si limitò a un cenno del capo.

«È andato a ballare, la notte scorsa?».

«Perché?... È proibito?».

Il suo accento fiammingo era meno forte di quello del fratello. Maigret e Lapointe, fermi sulla banchina, dovevano alzare la testa.

«In quale sala da ballo?».

«Vicino a place de la Bastille... Una viuzza dove ci sono cinque o sei balere... Quella dov'ero io si chiama Chez Léon...».

«La conosceva già?».

«Ci sono andato diverse volte...».

«Dunque non sa niente di quello che è successo...».

«So solo quello che mi ha raccontato mio fratello...».

Da un fumaiolo di rame, sul ponte, usciva il fumo. La donna era scesa in cabina con la piccola, e, da dove si trovavano, il commissario e l'ispettore potevano sentire l'odore di cucina.

«Quando potremo partire?».

«Probabilmente nel pomeriggio... Non appena il giudice avrà fatto firmare il verbale a suo fratello...».

Anche Hubert Van Houtte, tutto in ordine e tirato a lucido, aveva la pelle rosea e i capelli di un biondo chiaro.

Un po' più tardi Maigret e Lapointe attraversarono il quai des Célestins, e sull'angolo della rue de l'Ave-Maria scorsero un bistrot: il Petit Turin, come dichiarava l'insegna. Il padrone, in maniche di camicia, stava sulla soglia. Dentro non c'era nessuno.

«Possiamo?».

L'uomo si fece da parte, stupito nel vedere persone come quelle entrare nel suo locale. Era un minuscolo ambiente, e oltre al banco non c'erano che tre tavolini per gli eventuali clienti. Le pareti erano dipinte in verde mela, e dal soffitto pendevano salami, mortadelle e strani formaggi giallastri dalla forma di otri panciuti.

«Che cosa posso servirvi?».

«Ci porti del vino».

«Chianti?».

Su una mensola stavano allineati dei fiaschi con il loro rivestimento di paglia, ma il padrone, continuando a sbirciare incuriosito i due uomini, riempì i bicchieri con una bottiglia presa da sotto il banco.

«Conosce un barbone soprannominato il Dottore?».

«Come sta? Spero che non sia morto...».

Si passava dalla cadenza fiamminga all'accento italiano, dalla calma di Jef Van Houtte e di suo fratello Hubert al gesticolare del padrone del bar.

«È al corrente?» domandò Maigret.

«So che gli è successo qualcosa la notte scorsa».

«Chi gliel'ha detto?».

«Un altro barbone, questa mattina...».

«Che cosa le ha detto esattamente?».

«Che c'era stato trambusto vicino al pont Marie, e che poi avevano portato via il Dottore in ambulanza».

«Nient'altro?».

«E che dei battellieri lo avevano tirato fuori dall'acqua...».

«Il Dottore comprava il vino qui da lei?».

«Sì, spesso...».

«E ne beveva molto?».

«Circa due litri al giorno... Quando aveva un po' di soldi...».

«Come se li guadagnava?».

«Come se li guadagna tutta quella gente... Dando una mano alle Halles o da qualche altra parte... O portandosi in giro un cartello pubblicitario... A lui facevo credito volentieri...».

«Perché?».

«Perché non era un vagabondo come gli altri... Ha salvato mia moglie...».

La si intravedeva in cucina, grassa quasi come Léa, ma molto vispa.

«Stai parlando di me?».

«Sto dicendo che il Dottore...».

A quel punto la donna uscì dalla cucina ed entrò nel bistrot asciugandosi le mani nel grembiule.

«È vero che hanno cercato di ammazzarlo?... Siete della polizia?... Credete che se la caverà?».

«Non si sa ancora» rispose evasivamente il commissario. «Ma da cosa l'ha salvata?».

«Be', se mi avesse vista solo due anni fa, non mi avrebbe riconosciuta... Ero piena di eczema, avevo la faccia rossa come una bistecca sul banco del macellaio... E la cosa andava avanti da mesi e mesi... All'ambulatorio mi prescrivevano un'infinità di medicine, mi davano delle pomate così puzzolenti che mi veniva da vomitare... Tutto inutile... Non riuscivo più neanche a mangiare, e del resto avevo perso l'appetito... Mi facevano anche delle punture...».

Il marito la ascoltava approvando col capo.

«Un giorno che il Dottore era seduto là, guardi, nell'angolo, vicino alla porta, e io mi lamentavo con l'ortolana, mi sono accorta che mi guardava in un modo strano... Un po' più tardi, con lo stesso tono con cui avrebbe ordinato un bicchiere di vino, mi ha detto:

«"Credo di poterla guarire...".

«Gli ho chiesto se era davvero un dottore e lui ha sorriso.

«"Non mi hanno radiato dall'albo" ha mormorato».

«Le ha dato una ricetta?».

«No. Mi ha chiesto un po' di denaro, duecento franchi se ricordo bene, ed è andato lui stesso dal farmacista a comprare delle piccole cialde con dentro una polverina.

«"Ne prenda una in acqua tiepida prima di ogni pasto... E si lavi, mattina e sera, con dell'acqua molto salata...".

«Non ci crederà, ma in capo a due mesi la mia pelle era tornata com'è adesso...».

«Oltre a lei, ha curato qualcun altro?».
«Non saprei. Non parlava molto...».
«Veniva qui ogni giorno?».
«Quasi ogni giorno, sì, per comprare i suoi due litri di vino...».
«Era sempre solo? Lo ha mai visto in compagnia di uno o più sconosciuti?».
«No...».
«Non le ha detto il suo vero nome, o dov'era vissuto una volta?».
«So solo che ha avuto una figlia... Noi ne abbiamo una, che adesso è a scuola... E una volta che lo guardava con curiosità, lui le ha detto:
«"Non aver paura... Ho avuto anch'io una bambina..."».
Chissà, forse Lapointe si meravigliava del fatto che Maigret attribuisse tanta importanza alla storia di quel barbone... I giornali gli avrebbero dedicato tutt'al più qualche riga in cronaca.
Quel che Lapointe ignorava, perché troppo giovane, era che per la prima volta in tutta la sua carriera il commissario si trovava alle prese con un delitto perpetrato contro un barbone.
«Quanto le devo?».
«Prendetene un altro... Alla salute del povero Dottore...».
Bevettero il secondo bicchiere, questa volta offerto dall'italiano. Poi attraversarono il pont Marie. Pochi minuti dopo si inoltravano sotto la volta grigia dell'ospedale. Qui fu necessario parlamentare a lungo con una donna arcigna appostata dietro uno sportello.
«Sa come si chiama?».
«So solo che sotto i ponti lo chiamano il Dottore e che è stato portato qui la notte scorsa...».
«La notte scorsa non ero di turno... In che reparto lo hanno messo?».

«Non so... Poco fa ho parlato al telefono con un interno che non ha accennato a un'operazione...».

«Conosce il nome di questo interno?».

«No...».

La donna girò e rigirò le pagine di un registro, fece un paio di telefonate.

«Lei com'è che si chiama?».

«Commissario Maigret...».

Il nome non le diceva niente. Ripeté al telefono:

«C'è il commissario Maigret...».

Finalmente, dopo una decina di minuti, sospirò, con l'aria di accordare loro un grosso favore:

«Prendete la scala C... Salite al terzo... Troverete la caposala del piano...».

Incrociarono infermieri, giovani dottori, malati con la camicia dell'ospedale, e attraverso alcune porte aperte intravidero file di letti allineati.

Al terzo piano dovettero aspettare ancora un po', perché la caposala era impegnata in una conversazione molto vivace con due uomini ai quali sembrava rifiutare quello che chiedevano.

«Non posso farci niente» se ne uscì alla fine. «Rivolgetevi all'amministrazione. Non li scrivo io i regolamenti...».

Mentre quelli se ne andavano borbottando tra i denti frasi assai poco gentili, lei si girò verso Maigret.

«È qui per il barbone, vero?».

«Commissario Maigret...» ripeté lui.

La donna fece uno sforzo di memoria, ma neanche a lei quel nome diceva qualcosa. Era un altro mondo, un mondo di sale numerate, di reparti rigidamente separati, di ampie camerate con i letti in fila e, ai piedi di ciascuno, una scheda sulla quale erano tracciati segni misteriosi.

«Come sta?».

«Credo che il professor Magnin lo stia visitando proprio in questo momento...».

«È stato operato?».

«Chi le ha parlato di operazioni?».

«Ma... non so... Credevo...».

Lì Maigret non si sentiva al suo posto, e diventava timido.

«Con quale nome lo avete registrato?».

«Quello che c'era sulla sua carta d'identità».

«L'ha tenuta lei?».

«Posso fargliela vedere, se vuole».

Entrò in un piccolo ufficio a vetri in fondo al corridoio e trovò subito una carta d'identità unta e bisunta, ancora impregnata dell'acqua della Senna.

Cognome: Keller.
Nome: François, Marie, Florentin.
Professione: straccivendolo.
Nato a: Mulhouse, Bas-Rhin...

In base al documento l'uomo aveva sessantatré anni e il suo indirizzo a Parigi era un meublé della place Maubert, che il commissario conosceva bene perché veniva utilizzato come domicilio ufficiale da un certo numero di barboni.

«Ha ripreso conoscenza?».

La donna tentò di recuperare la carta d'identità e, vedendo che il commissario se la infilava in tasca, borbottò:

«Non si potrebbe... Il regolamento...».

«Keller si trova in una stanza privata?».

«Sì, e cos'altro?».

«Mi accompagni da lui...».

La caposala esitò, poi finì per cedere.

«Se la vedrà lei col professore...».

Li precedette e aprì la terza porta, dietro la quale si vedevano due file di letti, tutti occupati. I pazienti erano perlopiù coricati, con gli occhi aperti; due o tre, in fondo alla camerata, con indosso la camicia dell'ospedale, erano in piedi e chiacchieravano sottovoce.

Vicino a uno dei letti, a metà circa della sala, una decina di giovani e di ragazze col camice bianco e una cuffietta in testa circondavano un uomo più piccolo, tarchiato, con i capelli a spazzola e anche lui vestito di bianco, che sembrava tener loro una lezione.

«Non potete disturbarlo adesso... Lo vedete che è occupato...».

Ma andò comunque a sussurrare qualche parola all'orecchio del professore, che lanciò da lontano un'occhiata a Maigret e riprese il filo delle sue spiegazioni.

«Finirà tra pochi minuti. Vi prega di aspettarlo nel suo studio...».

La caposala li accompagnò in una stanza piuttosto piccola dove c'erano solo due sedie. Sulla scrivania, in una cornice d'argento, la fotografia di una donna e di tre bambini le cui teste si toccavano.

Dopo un attimo di esitazione, Maigret vuotò la pipa in un posacenere pieno di mozziconi di sigaretta e se ne caricò un'altra.

«Mi scusi se l'ho fatta aspettare, commissario... Quando l'infermiera mi ha detto che era qui, sono rimasto un po' stupito... In fondo...».

Stava per dire anche lui che in fondo si trattava solo di un barbone? No.

«... Il caso è piuttosto banale, mi sembra...».

«Brancolo ancora nel buio, e conto su di lei per avere qualche delucidazione...».

«C'è una bella frattura del cranio, molto netta per fortuna, il mio assistente deve averglielo detto questa mattina al telefono...».

«La radiografia non era ancora stata fatta...».

«Adesso l'abbiamo... L'uomo ha molte probabilità di cavarsela, il cervello non sembra danneggiato...».

«La frattura può essere stata prodotta da una brutta caduta sulla banchina?».

«Lo escludo senz'altro... L'uomo è stato colpito violentemente con un oggetto pesante, un martello, una chiave inglese, o un cric, per esempio...».

«Quindi ha perso i sensi?...».

«Altro che! Tanto è vero che è ancora in coma e potrebbe restarci per parecchi giorni... Ma potrebbe anche tornare in sé da un momento all'altro...».

Maigret aveva davanti agli occhi l'immagine dell'argine, del rifugio del Dottore, dell'acqua melmosa che scorreva a pochi metri di distanza, e si ricordò di quello che aveva detto il fiammingo.

«Mi scusi se insisto... Lei afferma che gli è stato inferto un colpo alla testa... Uno solo?».

«Perché me lo chiede?».

«Può essere importante...».

«A una prima occhiata ho pensato che forse i colpi potevano essere stati più di uno...».

«Perché?».

«Perché un orecchio è lacerato e si riscontrano diverse ferite, poco profonde, al volto... Dopo che gli hanno fatto la barba l'ho esaminato da vicino...».

«E ha concluso...?».

«Dov'è successo?».

«Sotto il pont Marie».

«Nel corso di una rissa?».

«Pare di no. Sembra che l'uomo fosse coricato e dormisse quando è stato aggredito... È un'ipotesi plausibile, secondo lei?».

«Assolutamente plausibile...».

«E pensa che abbia subito perso i sensi?».

«Ne sono quasi certo... E dopo quello che lei mi ha appena detto, capisco meglio la lacerazione all'orecchio e le escoriazioni al volto... Lo hanno ripescato nella Senna, vero?... Quelle ferite secondarie indicano che invece di trasportarlo lo hanno trascinato sul selciato della banchina... C'è della sabbia su quella banchina?».

«Scaricano sabbia da un battello a pochi metri di distanza».

«Ne ho trovata nelle ferite, infatti».

«Secondo lei, dunque, il Dottore...».

«Un dottore?» domandò meravigliato il professore.

«Lo chiamano così, sotto i ponti... E può anche darsi che sia stato veramente un medico...».

Era anche, in trent'anni, il primo medico che il commissario si ritrovava sotto i ponti. Aveva avuto a che fare, in passato, con un ex professore di chimica di un liceo di provincia, e qualche anno dopo con una donna che aveva conosciuto il suo momento di celebrità come cavallerizza in un circo.

«Sono convinto che fosse coricato, probabilmente addormentato, quando il suo o i suoi aggressori lo hanno colpito...».

«Uno solo ha colpito, visto che c'è stato un solo colpo...».

«Esatto... Lui ha perso i sensi e quelli hanno pensato che fosse morto...».

«Assolutamente plausibile...».

«E invece di trasportarlo lo hanno trascinato fino in riva alla Senna e lo hanno scaraventato in acqua...».

Il professore ascoltava con aria seria e pensosa.

«Può essere andata così?» insistette Maigret.

«Direi di sì».

«È possibile, da un punto di vista medico, che una volta in acqua, trascinato dalla corrente, l'uomo si sia messo a gridare?».

Il professore si grattò la testa.

«Lei mi chiede troppo e non me la sento di risponderle in modo categorico... Diciamo che non credo la cosa impossibile... Per effetto del contatto con l'acqua fredda...».

«Avrebbe dunque ripreso conoscenza?».

«Non necessariamente... Ci sono malati in coma che parlano e si agitano... Si può amfie che...».

«Ha detto qualcosa mentre lo visitava?».

«Si è più volte lamentato...».

«Pare che quando lo hanno tirato fuori dall'acqua avesse gli occhi aperti...».

«Questo non prova niente... Ma immagino che le farebbe piacere vederlo... Venite con me...».

Li accompagnò verso la terza porta, mentre la caposala li guardava passare con un certo stupore e probabilmente anche con una certa riprovazione.

I malati, nei letti, seguirono con gli occhi quel gruppetto che si fermava al capezzale di uno di loro.

«Non vedrà granché...».

La testa e il volto dell'uomo erano infatti coperti dalle medicazioni, e la fasciatura lasciava scorgere solo gli occhi, le narici e la bocca.

«Quante probabilità ha di cavarsela?».

«Un settanta per cento... Diciamo ottanta, perché il cuore è ancora forte...».

«La ringrazio, professore...».

«Non appena avrà ripreso conoscenza l'avvertiremo... Lasci il suo numero di telefono alla caposala...».

Che sollievo ritrovarsi fuori, vedere il sole, i passanti, un pullman giallo e rosso che scaricava i turisti sul sagrato di Notre-Dame!

Maigret camminava di nuovo in silenzio, le mani dietro la schiena, e Lapointe, sentendolo preoccupato, evitava di parlargli.

Entrarono sotto la volta della Polizia giudiziaria, si avviarono su per il grande scalone che il sole faceva sembrare più polveroso e raggiunsero l'ufficio del commissario.

Questi andò subito a spalancare la finestra, e seguì con lo sguardo una colonna di chiatte che scendevano lungo il fiume sul filo della corrente.

«Bisognerà mandare quelli di lassù a esaminare le sue cose...».

«Quelli di lassù» erano i tecnici, gli specialisti della Scientifica.

«La cosa migliore sarebbe prendere il furgoncino e portare tutto qui».

Non temeva che altri barboni s'impadronissero di qualche oggetto appartenente al Dottore: aveva semmai paura dei monelli che andavano in giro a rubacchiare.

«Tu, Lapointe, andrai al Genio civile... Non ce ne devono essere tante, di 403 rosse, a Parigi... Prendi nota dei numeri di targa con due 9... Fatti pure aiutare da tutti gli uomini che ti serviranno, ma controlla ogni proprietario...».

«Bene, capo...».

Rimasto solo, Maigret sistemò le sue pipe e dette una scorsa alla pila di note di servizio che ingombravano la scrivania. La giornata era così bella che non se la sentì di andare a mangiare alla brasserie Dauphine, e alla fine decise di rientrare a casa.

A quell'ora il sole inondava la sala da pranzo, e la signora Maigret indossava un vestito a fiori rosa che gli rammentò la camicetta, quasi dello stesso rosa, di Léa la cicciona.

Assorto nei suoi pensieri, stava mangiando il fegato di vitello al cartoccio quando sua moglie gli domandò:

«A cosa pensi?».

«Al mio barbone...».

«Quale barbone?».

«Un tizio che forse, prima, è stato un medico...».

«Che cosa ha fatto?».
«Lui niente, che io sappia. Qualcuno gli ha quasi spaccato la testa mentre dormiva sotto il pont Marie... E dopo lo ha gettato in acqua...».
«È morto?».
«Dei battellieri l'hanno ripescato giusto in tempo...».
«Perché ce l'avevano con lui?».
«È quello che mi chiedo anch'io... A proposito, è oriundo del paese di tuo cognato...».
La sorella della signora Maigret abitava a Mulhouse con il marito, un ingegnere del Genio civile, e i Maigret erano andati spesso a trovarli.
«Come si chiama?».
«Keller... François Keller...».
«È strano, ma questo nome non mi è nuovo...».
«È un nome abbastanza comune laggiù...».
«E se telefonassi a mia sorella?».
Il commissario si strinse nelle spalle. Perché no, dopo tutto? Non contava di ricavarne molto, ma la cosa avrebbe fatto piacere a sua moglie.
Servito il caffè, la signora Maigret chiamò Mulhouse e aspettò qualche minuto che le dessero la linea; nel frattempo ripeteva a fior di labbra, come chi cerca di ricordare:
«Keller... François Keller...».
Il telefono squillò.
«Pronto!... Pronto, sì!... Sì, signorina, ho chiesto Mulhouse... Sei tu, Florence?... Come?... Sono io, sì... Ma no, non è successo niente... Da Parigi... Ti chiamo da casa... È qui vicino a me, sta bevendo il caffè... Sta benissimo... Va tutto bene... Anche qui è arrivata finalmente la primavera...
«Come stanno i bambini?... L'influenza?... L'ho avuta anch'io la settimana scorsa... Non in forma grave, no... Ascolta, non ti ho chiamata per questo...

Ti ricordi per caso di un certo Keller?... François Keller... Come?... Adesso glielo chiedo...».

E girandosi verso Maigret gli domandò:

«Quanti anni ha?».

«Sessantatré...».

«Sessantatré anni... Sì... Non lo hai conosciuto personalmente?... Come dici?... Non interrompa, signorina... Pronto!... Sì, era un medico... È mezz'ora che cerco di ricordarmi da chi ne ho sentito parlare... Può essere stato tuo marito?

«Sì... Aspetta... Ripeto tutto quello che mi dici a Maigret, che mi sembra cominci a innervosirsi... Ha sposato una Merville... Chi sono, questi Merville?... Consigliere di Corte d'appello?... Ah, ha sposato la figlia di un consigliere di Corte d'appello... Bene... Che è morto... Molto tempo fa... Bene... Non meravigliarti se ripeto tutto, se non lo faccio ho paura di dimenticare qualcosa... Un'antica famiglia di Mulhouse... Il nonno è stato sindaco e... Non ti sento bene... La sua statua... Non credo che sia importante.... Non fa niente se non ne sei sicura...

«Pronto!... Dunque, Keller l'ha sposata... Figlia unica... Rue du Sauvage?... La coppia viveva in rue du Sauvage... Un tipo originale?... Perché?... Non lo sai esattamente... Ah! sì... capisco... Selvaggio come il nome della strada...».

E guardò Maigret come per dire che stava facendo il possibile.

«Sì... Sì... Non importa se non è interessante... Con lui non si sa mai... Qualche volta anche un particolare insignificante... Sì... In che anno?... Più o meno vent'anni fa, quindi... Lei ha ereditato da una zia... E lui se n'è andato... Non subito... Ha vissuto ancora un anno con lei...

«Avevano figli?... Una figlia?... Con chi?... Rousselet, quelli dei farmaceutici?... E vive a Parigi?...».

Ripeté al marito:

«Avevano una figlia che ha sposato un Rousselet, quelli dei farmaceutici, e stanno a Parigi...».

Poi, alla sorella:

«Capisco... Senti, cerca di saperne di più... Va bene... Grazie... Abbraccia tuo marito e i bambini per me. Richiamami pure a qualsiasi ora... Tanto rimango in casa...».

Rumore di baci. Ora si rivolgeva a Maigret.

«Lo sapevo che il nome mi diceva qualcosa. Hai sentito? Sembra che si tratti proprio di quel Keller, François, che era un medico e che ha sposato la figlia di un magistrato... Ma il padre è morto poco prima del matrimonio...».

«E la madre?» domandò il commissario.

La signora Maigret lo guardò interdetta: che la stesse prendendo in giro?

«Non lo so. Florence non mi ha detto niente di lei... Circa vent'anni fa la signora Keller ha ereditato da una zia... Adesso è molto ricca... Il dottore era un originale... Hai sentito quello che ho detto?... Un selvaggio, l'ha definito mia sorella... Hanno lasciato la casa in cui vivevano per sistemarsi in una palazzina vicino alla cattedrale... Lui è rimasto ancora un anno con la moglie, poi, all'improvviso, è sparito...

«Florence telefonerà alle sue amiche, soprattutto alle più anziane, per saperne di più... Ha promesso che mi richiamerà...

«La cosa ti interessa?».

«Tutto mi interessa» sospirò lui alzandosi dalla poltrona per scegliersi un'altra pipa dalla rastrelliera.

«Pensi che dovrai andare a Mulhouse per questo caso?».

«Non lo so ancora».

«E mi porteresti con te?».

Sorrisero entrambi. La finestra era aperta. Il sole inondava la stanza e li faceva pensare alle vacanze.

«A stasera... Prenderò nota di tutto quello che Florence mi dirà... Anche se poi riderai di noi...».

3

Il giovane Lapointe era in giro per Parigi a caccia di 403 rosse, e neppure Janvier si trovava in ufficio perché andava su e giù per i corridoi di una clinica aspettando che sua moglie gli desse il quarto figlio.

«Stai facendo qualcosa di urgente, Lucas?».

«Tutta roba che può aspettare, capo».

«Vieni un momento nel mio ufficio».

Intendeva mandarlo all'ospedale a prendere gli effetti personali del Dottore. Quella mattina non ci aveva pensato.

«Ti spediranno probabilmente da un ufficio all'altro col pretesto di qualche provvedimento amministrativo... Sarà meglio che ti porti una lettera che faccia colpo, con un bel po' di timbri...».

«Chi me la deve firmare?».

«Firmala tu... Con quella gente contano soprattutto i timbri... Vorrei anche avere le impronte digitali di questo François Keller... Tutto sommato è più semplice se mi passi al telefono il direttore dell'ospedale...».

Sul davanzale della finestra un passero li guardava agitarsi in quello che ai suoi occhi doveva essere un nido di uomini. Gentilissimo, Maigret annunciò la visita del brigadiere Lucas, e tutto filò liscio come l'olio.

«La lettera non serve» dichiarò riattaccando la cornetta. «Ti accompagneranno subito dal direttore, e lui stesso ti farà da guida...».

Un po' più tardi, rimasto solo, prese a sfogliare l'elenco telefonico di Parigi.

«Rousselet... Rousselet... Amédée... Arthur... Aline...».

Ce n'erano un sacco, di Rousselet, ma alla fine trovò, in grassetto: Laboratori René Rousselet.

I laboratori si trovavano nel XIV arrondissement, verso la porte d'Orléans. Alla riga sotto c'era l'indirizzo privato di René Rousselet: boulevard Suchet, nel XVI.

Erano le due e mezzo. Dopo una folata di vento che aveva sollevato mulinelli di polvere dai marciapiedi facendo pensare a un imminente temporale, il tempo era di nuovo radioso.

«Pronto!... Vorrei parlare con la signora Rousselet, per favore...».

Una voce femminile dall'intonazione bassa e molto gradevole domandò:

«Chi la desidera?».

«Il commissario Maigret, della Polizia giudiziaria...».

Un attimo di silenzio, poi:

«Può dirmi di cosa si tratta?».

«È personale...».

«Sono io la signora Rousselet».

«Il suo nome da ragazza è Keller, ed è nata a Mulhouse?».

«Sì».

«La pregherei di concedermi un colloquio al più presto... Posso passare da lei?».

«Deve darmi una cattiva notizia?».

«Ho solo bisogno di qualche informazione».

«Quando vorrebbe venire?».

«Anche subito... Il tempo di arrivare...».

La sentì dire a qualcuno, probabilmente a un bambino:

«Lasciami parlare, Jeannot...».

Si sentiva che era sorpresa, incuriosita, preoccupata.

«L'aspetto, commissario... L'appartamento è al terzo piano...».

Gli era molto piaciuta, al mattino, l'atmosfera dei lungosenna che risvegliava in lui tanti ricordi, e in particolare tante passeggiate con la signora Maigret, quando capitava che camminassero lungo il fiume da un capo all'altro di Parigi. Allo stesso modo apprezzò i viali tranquilli, le ricche dimore borghesi e gli alberi dei quartieri eleganti che ora attraversava su una piccola automobile di servizio guidata dall'ispettore Torrence.

«Salgo con lei, capo?».

«Meglio di no».

La palazzina aveva una porta in ferro battuto e vetro, l'atrio era di marmo bianco, e lo spazioso ascensore saliva in silenzio, senza scosse, senza un cigolio. Non appena premette il pulsante del campanello, la porta si aprì e un cameriere in giacca bianca gli prese il cappello.

«Da questa parte, prego...».

Nell'ingresso c'era un pallone rosso, sul tappeto una bambola, e Maigret intravide una governante che spingeva una bambina vestita di bianco in fondo a un corridoio. Un'altra porta si aprì, quella di un salottino che dava sul salone principale.

«Si accomodi, commissario...».

Maigret aveva calcolato che la donna dovesse avere all'incirca trentacinque anni. Non li dimostrava.

Era bruna e indossava un tailleur leggero. Mentre il domestico richiudeva la porta, il suo sguardo, dolce e carezzevole quanto la voce, già poneva un interrogativo.

«Prego, si sieda... Da quando mi ha telefonato mi sto chiedendo...».

Invece di entrare subito in argomento, Maigret domandò meccanicamente:

«Ha molti figli?».

«Quattro... Di undici, nove, sette e tre anni...».

Doveva essere la prima volta che un poliziotto entrava in quella casa, e la donna teneva gli occhi fissi su di lui.

«In un primo momento ho pensato che fosse successo qualcosa a mio marito...».

«È a Parigi?».

«Al momento no. Partecipa a un congresso a Bruxelles, e gli ho subito telefonato...».

«Si ricorda di suo padre, signora Rousselet?».

Lei parve rilassarsi un po'. Nel salottino c'erano fiori ovunque, e dalle ampie finestre si scorgevano gli alberi del Bois de Boulogne.

«Me ne ricordo, sì... Anche se...».

Un attimo di esitazione.

«Quando lo ha visto l'ultima volta?».

«Oh, molto tempo fa... Avevo tredici anni...».

«Abitava ancora a Mulhouse?».

«Sì... Sono venuta a Parigi solo da sposata...».

«Ed è stato a Mulhouse che ha conosciuto suo marito?».

«A La Baule, dove andavo tutti gli anni con mia madre...».

Si sentivano voci infantili, grida, e come degli scivoloni lungo i corridoi.

«Mi scusi un momento...».

Richiuse la porta alle sue spalle e disse qualcosa sottovoce, ma con una certa energia.

«Le chiedo scusa... Oggi non sono a scuola e avevo promesso di uscire con loro...».

«Riconoscerebbe suo padre?».

«Sì... Suppongo di sì...».

Maigret tirò fuori di tasca la carta d'identità del Dottore. In base alla data del rilascio, la fotografia risaliva a circa cinque anni prima. Era stata scattata da uno di quegli apparecchi automatici che si trovano nei grandi magazzini, nelle stazioni e persino in Questura.

François Keller non si era fatto la barba per l'occasione, né aveva pensato di ripulirsi un po'. Le guance erano coperte da una barba di almeno due o tre centimetri che probabilmente lui stesso tagliava ogni tanto con le forbici. I capelli cominciavano a diradarsi alle tempie e lo sguardo era neutro, indifferente.

«È lui?».

Tenendo il documento con mano un po' tremante, la donna si chinò in avanti per vedere meglio. Doveva essere miope.

«Non è così che lo ricordo, ma sono quasi sicura che è lui...».

Si chinò di più.

«Con una lente forse potrei... Aspetti... Vado a prenderne una...».

Lasciò la carta d'identità su un tavolino rotondo, sparì e qualche minuto dopo tornò con una lente in mano.

«Mio padre aveva una cicatrice, piccola ma profonda, sopra l'occhio sinistro... Ecco... Non la si distingue molto bene su questa foto, ma mi sembra proprio che ci sia... Guardi lei stesso...».

Anche Maigret osservò il documento con la lente.

«Si era ferito per colpa mia, per questo me ne ricordo così bene... Era domenica e passeggiavamo in campagna... Faceva molto caldo, e c'era un campo di grano pieno di papaveri...

«Mi è venuta voglia di coglierne un mazzo. Il campo era delimitato da una recinzione di filo spinato... Io avevo circa otto anni... Per farmi passare, mio padre ha scostato il filo spinato... Lo teneva abbassato con il piede e stava piegato in avanti... Strano come riveda così chiaramente la scena, mentre ho dimenticato tante altre cose... Poi gli dev'essere scivolato il piede, e il filo spinato si è sollevato di scatto come una molla colpendolo al volto...

«Mia madre aveva paura che l'occhio fosse rimasto offeso... Sanguinava molto... Ci siamo avviati verso una fattoria per farci dare dell'acqua e il necessario per una prima medicazione...

«La cicatrice gli è rimasta...».

Mentre parlava continuava a osservare Maigret con aria preoccupata, e sembrava che volesse ritardare il momento in cui avrebbe appreso il motivo preciso della sua visita.

«Gli è successo qualcosa?».

«È stato ferito la notte scorsa, anche questa volta alla testa, ma i medici non pensano che sia in pericolo di vita...».

«È successo a Parigi?».

«Sì... Sull'argine della Senna... Quello o quelli che lo hanno assalito lo hanno poi gettato in acqua...».

Non le toglieva gli occhi di dosso, spiava le sue reazioni, e la donna non cercava di sottrarsi a quell'esame.

«Lei sa come viveva suo padre?».

«Non esattamente...».

«Cosa intende dire?».

«Quando ci ha lasciate...».

«Lei aveva tredici anni, mi ha detto... Si ricorda della sua partenza?».

«No... Un bel giorno non l'ho più visto in casa, allora ho cominciato a far domande, e mia madre ha risposto che era partito per un lungo viaggio...».

«Quando ha saputo dov'era?».

«Qualche mese dopo mia madre mi ha informato che era in Africa, in piena savana, dove curava gli indigeni...».

«Era vero?».

«Immagino di sì... Del resto più tardi alcune persone che lo avevano incontrato laggiù ci hanno parlato di lui... Viveva nel Gabon, in un posto a centinaia di chilometri da Libreville...».

«Ci è rimasto a lungo?».

«In ogni caso diversi anni... C'era gente, a Mulhouse, che lo considerava una specie di santo... Altri...».

Il commissario aspettava. Lei esitò.

«Altri ne parlavano come di una testa calda, un pazzoide...».

«E sua madre?».

«Credo che la mamma, alla fine, si fosse rassegnata...».

«Quanti anni ha, oggi, sua madre?».

«Cinquantaquattro... No, cinquantacinque... So che mio padre le aveva lasciato una lettera, che lei non mi ha mai fatto leggere, nella quale le annunciava che probabilmente non sarebbe più tornato e che era pronto a concederle il divorzio...».

«E lei ha divorziato?».

«No. La mamma è molto cattolica...».

«Suo marito è al corrente di tutto?».

«Ma certo! Non gli abbiamo nascosto niente...».

«Lei non sapeva che suo padre era tornato a Parigi?».

La signora Rousselet ebbe un rapido battito di ciglia e – Maigret ne era certo – fu lì lì per mentire.

«Sì e no... In realtà non l'ho mai rivisto con i miei occhi... La mamma e io non ne eravamo sicure... Ma un giorno qualcuno di Mulhouse le ha parlato di un uomo-sandwich, incontrato in boulevard Saint-Michel, che assomigliava stranamente a mio padre... Pare che, quando questo vecchio amico della mamma lo ha chiamato per nome, l'uomo sia trasalito, ma poi abbia fatto finta di non riconoscerlo...».

«Non avete mai pensato, lei o sua madre, di rivolgervi alla polizia?».

«A che scopo?... Mio padre ha scelto la sua strada... Probabilmente non era fatto per vivere con noi...».

«Non si è mai interrogata riguardo a quella scelta?».

«Ne abbiamo parlato parecchie volte, mio marito e io...».

«E con sua madre?».

«Le ho posto delle domande, è ovvio, prima e dopo il mio matrimonio...».

«E qual è il suo punto di vista?».

«Difficile a dirsi, così su due piedi... Lo compatisce... E io pure... Anche se a volte mi chiedo se non sia più felice così...».

E sottovoce, con un lieve imbarazzo, aggiunse:

«Ci sono persone che non si adattano al genere di vita che conduciamo noi... E poi la mamma...».

Si alzò, un po' tesa, andò alla finestra e guardò un attimo fuori prima di girarsi di nuovo.

«Non posso rimproverarle niente... Anche lei ha le sue idee sulla vita... Come tutti, immagino... Definirla autoritaria è un po' troppo, ma sta di fatto che le cose devono andare come vuole lei...».

«E una volta rimaste sole, siete andate d'accordo?».

«Più o meno... Comunque sono stata felice di sposarmi e di...».

«Sfuggire alla sua autorità?».

«Qualcosa del genere...».

Sorrise.

«Non è granché originale, e vale per molte ragazze... Mia madre adora uscire, ricevere, incontrarsi con persone importanti... A Mulhouse si riunivano da lei tutti quelli che contavano...».

«Anche quando c'era suo padre?».

«Gli ultimi due anni sì...».

«Perché gli ultimi due?».

Il commissario si ricordava della lunga conversazione telefonica della signora Maigret con la sorella, e gli dispiaceva un po' di venire a sapere lì più di quanto sua moglie avrebbe scoperto per conto suo.

«Perché la mamma aveva ereditato da una zia... Prima vivevamo quasi poveramente, in una casa modesta... Non abitavamo neppure in un bel quartiere, e la clientela di mio padre era composta soprattutto di operai... Nessuno si aspettava quella eredità... Abbiamo traslocato... La mamma ha acquistato una palazzina vicino alla cattedrale, e non le dispiaceva che ci fosse uno stemma scolpito sopra il portone...».

«Ha conosciuto la famiglia di suo padre?».

«No... Ho visto solo qualche volta suo fratello prima che morisse in guerra, in Siria se non mi sbaglio, ad ogni modo non in Francia...».

«E suo padre?... Sua madre?...».

Di nuovo si udivano le voci dei bambini, ma lei non se ne preoccupò.

«Sua madre è morta di cancro quando lui aveva circa quindici anni... Il padre era un piccolo imprenditore nel campo del legno e della carpenteria... Secondo la mamma aveva una decina di operai... Un bel giorno, mentre mio padre frequentava ancora l'università, lo hanno trovato impiccato nell'officina. Poi si è saputo che era sull'orlo del fallimento...».

«Suo padre ha potuto ugualmente finire gli studi?».

«Sì, lavorando presso un farmacista...».

«Com'era?».

«Molto dolce... Mi rendo conto che per lei questa non è una risposta esauriente, ma è l'impressione più forte che mio padre mi ha lasciato... Molto dolce e un po' triste...».

«Litigava con sua madre?».

«Non l'ho mai sentito alzare la voce... È anche vero, però, che quando non era nel suo studio passava la maggior parte del tempo a visitare i malati... Ricordo che mia madre gli rimproverava di non avere nessuna cura di sé, di portare sempre lo stesso vestito spiegazzato e di non radersi per giorni... E io gli dicevo che la sua barba pungeva quando mi baciava...».

«Suppongo che lei non sappia niente dei rapporti di suo padre con i colleghi...».

«Solo quello che mi ha detto la mamma... Ma con lei è difficile distinguere il vero dal quasi vero... Non è che dica il falso... Modifica la realtà per farla assomigliare a come vorrebbe che fosse... Visto che l'aveva sposato, mio padre doveva essere per forza una persona speciale...

«"Tuo padre è il miglior medico della città," mi diceva "probabilmente uno dei migliori di tutta la Francia... Sfortunatamente..."».

Sorrideva di nuovo.

«Può immaginare il seguito... Diceva che lui non sapeva adattarsi... Che si rifiutava di fare come gli altri... E insinuava che mio nonno non si fosse impiccato a causa dell'imminente fallimento, ma perché era malato di nervi... Aveva anche una figlia, che è stata per un po' in una casa di cura...».

«Com'è finita?».

«Non lo so... E credo che anche mia madre non ne sappia più niente... Ad ogni modo ha lasciato Mulhouse...».

«Sua madre abita ancora lì?».
«No, vive a Parigi da molti anni...».
«Può darmi il suo indirizzo?».
«Quai d'Orléans... 29 *bis*...».
Maigret era trasalito, ma lei non lo notò.
«È nell'Île Saint-Louis, che ormai è uno dei quartieri più chic di Parigi...».
«Lei sa dov'è stato aggredito suo padre la notte scorsa?».
«No, naturalmente».
«Sotto il pont Marie... A trecento metri dalla casa di sua madre...».
La donna aggrottò le sopracciglia, turbata.
«È sull'altro braccio della Senna, vero? Le finestre della mamma danno sul quai des Tournelles...».
«Sua madre ha un cane?».
«Perché me lo chiede?».
Nei pochi mesi durante i quali Maigret aveva abitato in place des Vosges, mentre l'appartamento di boulevard Richard-Lenoir veniva rimesso a nuovo, andavano spesso, lui e sua moglie, a fare una passeggiata serale intorno all'Île Saint-Louis. Ed era l'ora in cui i proprietari di cani li portavano a spasso lungo gli argini, o li affidavano a un domestico.
«La mamma ha solo degli uccelli... Detesta cani e gatti...».
Poi, cambiando argomento:
«Dove hanno portato mio padre?».
«All'Hôtel-Dieu, l'ospedale più vicino...».
«Vorrà probabilmente che io...».
«Non ora... Forse più avanti le chiederò di procedere a un riconoscimento, per avere la certezza assoluta della sua identità, ma per il momento ha la testa e il volto completamente bendati...».
«Soffre molto?».
«È in coma e non si rende conto di niente...».

«Perché gli hanno fatto questo?».
«È quel che sto cercando di scoprire...».
«C'è stata una rissa?».
«No. Con ogni probabilità lo hanno colpito mentre stava dormendo...».
«Sotto il ponte?».
Anche il commissario si alzò.
«Immagino che andrà da mia madre...».
«Mi è difficile evitarlo...».
«Permette che le telefoni per darle la notizia?».
Maigret esitò. Avrebbe preferito osservare le reazioni della signora Keller, ma acconsentì alla richiesta.
«La ringrazio, commissario... La cosa uscirà sui giornali?».
«Ormai la stampa avrà dato la notizia dell'aggressione in poche righe, e il nome di suo padre non compare di certo, visto che io stesso sono venuto a saperlo solo a metà mattina...».
«La mamma insisterà affinché non se ne parli...».
«Farò quello che posso...».
Lo riaccompagnò fino alla porta mentre una bambina le si aggrappava alla gonna.
«Usciamo subito, tesoro... Va a dire a Nana di prepararti...».
Torrence andava su e giù lungo il marciapiede davanti alla casa, e la piccola automobile nera di servizio faceva una ben magra figura in mezzo alle lunghe e scintillanti berline padronali.
«Quai des Orfèvres?».
«No... Île Saint-Louis... Quai d'Orléans...».
L'edificio era antico, con una immensa porta carraia, ma tenuto molto bene, come un mobile di pregio. Gli ottoni, la ringhiera della scala, i gradini, le pareti erano lustri, senza un filo di polvere; anche la portinaia, col suo vestito nero e il grembiule bianco, sembrava piuttosto la domestica di una casa signorile.
«Ha un appuntamento?».

«No, ma la signora Keller mi aspetta...».
«Un momento, prego...».
La portineria era un salottino che profumava più di cera che di cucina. La donna sollevò la cornetta del telefono.
«Il suo nome?».
«Commissario Maigret...».
«Pronto... Berthe?... Vuoi dire alla signora che un certo commissario Maigret chiede di vederla?... Sì, è qui... Lo faccio salire?... Bene, grazie... Può andar su, commissario... Secondo piano a destra...».
Mentre saliva la scala, Maigret si domandò se i fiamminghi fossero ancora ormeggiati in quai des Célestins, o se, firmato il verbale, non stessero già scendendo lungo il fiume in direzione di Rouen. La porta si aprì prima che avesse avuto il tempo di suonare. La cameriera, giovane e graziosa, squadrò il commissario dalla testa ai piedi come se fosse la prima volta in vita sua che vedeva un poliziotto in carne e ossa.
«Per di qua, prego... Mi dia il cappello...».
L'appartamento, dai soffitti altissimi, era arredato in stile barocco, con una profusione di fregi dorati e di mobili abbondantemente scolpiti. Fin dall'ingresso si coglieva un pigolio di cocorite, e una volta aperta la porta del salotto si vedeva un'immensa voliera che doveva contenerne almeno dieci coppie.
Lasciato in attesa per parecchi minuti, il commissario finì per accendersi la pipa in segno di protesta. Ma se la tolse subito di bocca non appena la signora Keller entrò nel salotto. Era così sottile, così fragile e insieme così giovane che Maigret, nel vederla, rimase sbalordito. Dimostrava a malapena dieci anni più della figlia, aveva un abito bianco e nero, la carnagione chiara e occhi color nontiscordardimé.
«Jacqueline mi ha già telefonato...» disse subito,

indicando a Maigret una poltrona dall'alto schienale rigido, massimamente scomoda.

Sedette a sua volta su uno sgabello rivestito con una tappezzeria antica, e la sua postura era quella che dovevano averle insegnato le suore in collegio.

«Così, pare che abbiate ritrovato mio marito...».

«In realtà non lo stavamo cercando...».

«Lo credo bene... Non vedo perché avreste dovuto farlo... Ciascuno è libero di vivere la propria vita... È vero che è fuori pericolo o l'ha detto a mia figlia solo per tranquillizzarla?».

«Secondo il professor Magnin ha ottanta probabilità su cento di cavarsela...».

«Magnin?... Lo conosco benissimo... È venuto qui da me diverse volte...».

«Lei sapeva che suo marito era a Parigi?».

«Lo sapevo e non lo sapevo... Da quando è partito per il Gabon, e sono quasi vent'anni, da lui ho ricevuto in tutto due cartoline... E questo nei primissimi tempi del suo soggiorno in Africa...».

Non recitava per lui la commedia della tristezza ma lo guardava anzi dritto in faccia, da donna abituata a ogni tipo di situazione.

«È sicuro, almeno, che si tratti proprio di lui?».

«Sua figlia lo ha riconosciuto...».

E porse anche a lei la carta d'identità. La signora Keller andò a prendere un paio di occhiali che stavano su un cassettone e osservò attentamente la foto senza che il suo viso tradisse la minima emozione.

«Jacqueline ha ragione... Certo è molto cambiato, ma giurerei anch'io che si tratta di François...».

Rialzò il capo.

«È vero che viveva a pochi passi da qui?».

«Sotto il pont Marie...».

«E pensare che attraverso quel ponte varie volte alla settimana, ho un'amica che abita proprio dall'altra parte della Senna... È la signora Lambois... Il nome dovrebbe dirle qualcosa... Il marito...».

Maigret non le diede il tempo di precisare quale fosse la prestigiosa posizione sociale del marito della signora Lambois.

«Non ha più rivisto suo marito dal giorno in cui se n'è andato da Mulhouse?».

«No, mai più».

«E non le ha scritto, telefonato?».

«A parte le due cartoline, non ho più avuto sue notizie... Non direttamente, almeno...».

«E indirettamente?».

«Mi è capitato di incontrare, in casa di amici, un ex governatore del Gabon, Pérignon, che mi ha chiesto se fossi parente di un certo dottor Keller...».

«E lei cos'ha risposto?».

«La verità... Era imbarazzato, ma alla fine sono riuscita a farlo parlare... Mi ha rivelato che laggiù François non aveva trovato quello che cercava».

«E sarebbe?».

«François era un idealista, capisce?... Non era tagliato per la vita moderna... Dopo la grossa delusione provata a Mulhouse...».

Maigret mostrò una certa sorpresa.

«Mia figlia non le ha detto nulla?... È vero che allora era così giovane e che vedeva così poco suo padre!... Invece di farsi una clientela alla sua altezza... Gradisce una tazza di tè?... No?... Mi scusi se lo prendo io, ma è l'ora del mio tè...».

Suonò per la cameriera.

«Il mio tè, Berthe...».

«Solo per lei?».

«Sì... Cosa posso offrirle, commissario?... Whisky?... No? Niente?... Come vuole... Cosa stavo dicendo?... Ah! sì. Non c'è un romanzo dal titolo *Il medico dei poveri*?... O è *Il medico di campagna*?... Be', mio marito era appunto una specie di medico dei poveri, e se non avessi ereditato da mia zia saremmo diventati poveri come i suoi pazienti... Guardi che io non gli serbo rancore... Era fatto così... Suo padre... Ma non importa... Ogni famiglia ha i suoi guai...».

Squillò il telefono.

«Permette?... Pronto... Sì, sono io... Alice?... Sì, cara... Forse farò un po' tardi. Ma no!... Sto benissimo... Hai visto Laure?... Ci sarà anche lei?... Adesso devo lasciarti perché ho una visita... Ti racconterò, sì... A tra poco...».

Tornò al suo posto, tutta sorridente.

«Era la moglie del ministro degli Interni... La conosce?».

Maigret si limitò a fare segno di no e meccanicamente si rimise la pipa in tasca. Le cocorite gli davano ai nervi. E le interruzioni anche. Adesso era la volta della cameriera che veniva a servire il tè.

«Si era messo in testa di fare il medico ospedaliero, e per due anni ha studiato con accanimento per prepararsi al concorso... A Mulhouse, tutti le confermeranno che è stata una palese ingiustizia... François era senz'altro il migliore, il più in gamba... E credo che quello fosse il posto per lui... Come sempre, ha vinto il raccomandato di un barone... Ma non era un buon motivo per mollare tutto...».

«Dunque è a seguito di quella delusione che...».

«Credo di sì... Lo vedevo così poco!... Quando era in casa si chiudeva nel suo studio... Era sempre stato piuttosto misantropo, ma da quel momento sembrò che non ci stesse più con la testa... Non voglio parlarne male... Non ho neanche pensato al divorzio quando lui, nella sua lettera, me lo ha proposto...».

«Beveva?».

«Gliel'ha detto mia figlia?».

«No».

«Si è messo a bere, è vero... Noti che non l'ho mai

visto ubriaco... Ma aveva sempre una bottiglia nello studio, e l'hanno visto uscire piuttosto spesso da certi piccoli bistrot dove di solito un uomo della sua posizione non mette piede...».

«Aveva cominciato a parlarmi del Gabon...».

«Credo che volesse diventare una specie di dottor Schweitzer... Capisce?... Andare a curare gli indigeni nella savana, creare un ospedale, tenersi alla larga dai bianchi, dalle persone della sua classe...».

«È rimasto deluso?».

«Da quanto mi ha rivelato il governatore, un po' suo malgrado, François ha finito per inimicarsi l'amministrazione, nonché le grandi compagnie... Poi, forse a causa del clima, ha preso a bere sempre di più... Non pensi che le dica tutto questo perché sono gelosa... Non lo sono mai stata... Laggiù viveva in una capanna con un'indigena, e pare che abbia avuto dei figli...».

Maigret guardava le cocorite nella gabbia attraversata da un raggio di sole.

«Gli hanno fatto capire che quello non era il suo posto...».

«Intende dire che lo hanno espulso dal Gabon?».

«Più o meno... Non so esattamente come funzionano queste cose, e il governatore è rimasto nel vago... Fatto sta che se n'è andato...».

«Quando è stato che un suo amico l'ha incontrato in boulevard Saint-Michel?».

«Ah! mia figlia gliene ha parlato? Guardi però che non ho alcuna certezza... L'uomo, che portava sulla schiena un cartellone pubblicitario per un ristorante del quartiere, assomigliava in effetti a François, e pare che sia trasalito quando il mio amico lo ha chiamato per nome...».

«E questo amico gli ha parlato?».

«François lo ha guardato come se non lo conoscesse... Non so altro...».

«Come ho detto poco fa a sua figlia, non posso chiederle di venire a riconoscerlo adesso per via delle bende che gli coprono il viso... Non appena dovesse verificarsi un miglioramento...».

«Non crede che sarà alquanto penoso?».

«Per chi?».

«È a lui che penso...».

«Dobbiamo essere sicuri della sua identità...».

«Io ne sono quasi certa... Se non altro per quella cicatrice... Era una domenica d'agosto...».

«Sì, lo so...».

«In questo caso, non vedo cosa potrei dirle ancora...».

Maigret si alzò, ansioso di trovarsi all'aperto e lontano dal chiacchiericcio delle cocorite.

«Immagino che i giornali...».

«Farò in modo che ne parlino il meno possibile...».

«Non è tanto per me quanto per mio genero. Nel mondo degli affari è sempre sgradevole se... Lui comunque è al corrente di tutto e ha capito benissimo... Davvero non posso offrirle qualcosa?».

«No, la ringrazio...».

E giù, sul marciapiede, disse a Torrence:

«Dove possiamo trovare un piccolo bistrot tranquillo?... Ho una sete!...».

Ah! un bicchiere di birra fresca al punto giusto, con tanta schiuma cremosa.

Il bistrot lo trovarono, tranquillo come lo volevano, tutto in ombra, ma la birra, ahimè, era tiepida e senza schiuma.

4

«Le ho messo la lista sulla scrivania...» disse Lucas che, come al solito, aveva lavorato con grande meticolosità.

Di liste ce n'erano anzi più d'una, battute a macchina. La prima era quella degli oggetti vari – l'esperto della Scientifica li aveva classificati sotto la voce *beni di recupero* – che, sotto il pont Marie, costituivano tutta la ricchezza, mobile e immobile, del Dottore: vecchie cassette, carrozzina, coperte bucate, giornali, padella per friggere, gamella, *Oraisons funèbres* di Bossuet... Tutto questo si trovava ora lassù, in un angolo del laboratorio.

La seconda lista era quella degli indumenti che Lucas aveva portato dall'ospedale, e una terza, infine, elencava in dettaglio il contenuto delle tasche.

Maigret preferì non leggerla, ed era uno spettacolo singolare, nella luce del tramonto, vederlo aprire il sacco di carta scura di cui il brigadiere si era servito per raccogliere quei piccoli oggetti. Aveva un po' l'aria di un bambino che apre una busta sorpresa aspettandosi di scoprire chissà quale tesoro...

Per prima cosa estrasse, e posò sul sottomano, uno stetoscopio malridotto.

«Era nella tasca destra della giacca» spiegò Lucas. «L'ho fatto vedere in ospedale: non funziona più».

Perché, allora, François Keller lo teneva in tasca? Nella speranza di ripararlo? O piuttosto come ultimo simbolo della sua professione?

Fu poi la volta di un coltello a serramanico munito di tre lame e un cavatappi, con l'impugnatura di corno incrinata. Doveva provenire, come il resto, da qualche bidone delle immondizie.

E ancora: una pipa di radica con il cannello tenuto insieme dal fildiferro.

«Tasca sinistra...» precisò Lucas. «È ancora umida...».

Maigret l'annusò meccanicamente.

«Niente tabacco?» domandò.

«In fondo al sacco troverà qualche cicca di sigaretta. Ma l'acqua le ha ridotte in poltiglia».

Pareva di vederlo, l'uomo, mentre si fermava sul marciapiede, si chinava a raccogliere un mozzicone, ne toglieva la carta e metteva il tabacco nella sua pipa. Maigret non lo avrebbe mai ammesso, ma in fondo il fatto che il Dottore fosse un fumatore di pipa gli faceva piacere. Né la figlia né la moglie lo avevano informato di quel particolare.

Chiodi, viti. Per farne che? François Keller li raccoglieva nel suo girovagare e se li cacciava in tasca senza pensare a cosa potessero servirgli, considerandoli probabilmente come altrettanti talismani.

E infatti c'erano altri tre oggetti ancora meno utili a uno che dorme sotto i ponti coprendosi il petto con dei giornali per resistere al freddo: tre biglie, di quelle di vetro venate di filamenti gialli, rossi, azzurri e verdi, che i bambini scambiano con cinque o sei biglie normali e che si divertono a far scintillare al sole.

Non c'era altro, a parte qualche spicciolo e, in una

busta di pelle, due banconote da cinquanta franchi che l'acqua della Senna aveva incollate l'una all'altra.

Maigret teneva in mano una delle biglie, e mentre parlava con Lucas non smise di rigirarla tra le dita.

«Hai preso le impronte?».

«Sì, e gli altri malati mi osservavano incuriositi. Poi sono salito al Casellario giudiziale e le hanno confrontate con le schede dattiloscopiche».

«Risultato?».

«Zero. Keller non ha mai avuto a che fare né con noi né con la giustizia».

«Non ha ripreso conoscenza?».

«No. Quando ero lì aveva gli occhi socchiusi, ma sembrava che non vedesse niente. Respirava con una specie di sibilo, e ogni tanto emetteva un gemito...».

Prima di tornarsene a casa, il commissario firmò la posta. Malgrado l'espressione preoccupata, c'era nel suo umore una certa leggerezza, la stessa che aleggiava quel giorno nel cielo di Parigi. Fu inavvertitamente che, uscendo dall'ufficio, si mise una biglia in tasca?

Era martedì, giorno di maccheroni al gratin. Fatta eccezione per il bollito del giovedì, il menu degli altri giorni variava di settimana in settimana ma, da alcuni anni, senza una ragione precisa, la cena del martedì era consacrata ai maccheroni gratinati, con uno strato di prosciutto tritato fine e, a volte, un bel tartufo tagliato a lamelle ancora più sottili.

Anche la signora Maigret era di buon umore, e da come le brillavano gli occhi il commissario capì che aveva notizie fresche da dargli. Non le disse subito di aver visto Jacqueline Rousselet e la signora Keller.

«Ho fame!».

Era chiaro che aspettava le sue domande, ma lui cominciò a farle solo quando furono tutti e due a tavola, davanti alla finestra aperta. L'aria era azzurrognola, con ancora qualche scia rossa sul fondo del cielo.

«Tua sorella ti ha richiamata?».

«Credo che si sia mossa piuttosto bene. Deve aver passato il pomeriggio parlando al telefono con tutte le sue amiche...».

Vicino al piatto aveva un foglietto con degli appunti.

«Ti ripeto quello che mi ha detto?».

I rumori della città facevano da sottofondo alla loro conversazione e dall'appartamento dei vicini arrivavano le prime battute del telegiornale.

«Non annoti nulla?».

«Preferisco ascoltarti...».

Due o tre volte, mentre lei parlava, Maigret si mise la mano in tasca per giocherellare con la biglia.

«Perché sorridi?».

«Non è niente... Ti ascolto...».

«Intanto ho saputo da dove viene il patrimonio che la zia ha lasciato alla signora Keller... È una lunga storia... Vuoi che te la racconti nei particolari?».

Lui annuì, continuando a mangiare i maccheroni dalla crosta croccante.

«Questa zia faceva l'infermiera, e a quarant'anni era ancora nubile...».

«Abitava a Mulhouse?».

«No, a Strasburgo... Era la sorella della madre della signora Keller... Mi segui?».

«Sì».

«Lavorava all'ospedale... Lì, ogni professore dispone di qualche camera privata per i propri pazienti... Un giorno, poco prima della guerra, le è capitato di curare un uomo di cui poi si è molto parlato in Alsazia, un certo Lemke, che commerciava in ferraglia e aveva una pessima reputazione... Infatti si diceva che, pur essendo già ricco, non si facesse scrupolo di esercitare anche l'usura...».

«E l'ha sposata?».

«Come lo sai?».

Il commissario si pentì di averle sciupato l'effetto.

«Lo intuisco dall'espressione della tua faccia».

«L'ha sposata, sì. Ma aspetta di sentire il seguito. Durante la guerra lui ha continuato il suo commercio di ferraglia... E inevitabilmente ha lavorato con i tedeschi, mettendo insieme una fortuna... Mi dilungo troppo?... Ti annoio?...».

«Al contrario. E cos'è successo alla Liberazione?».

«Quelli delle FFI lo hanno cercato con l'intenzione di fucilarlo dopo avergli fatto restituire il maltolto... Ma non lo hanno trovato... Nessuno sa dove si fossero nascosti, lui e la moglie... Fatto sta che sono riusciti a scappare in Spagna, e da lì a imbarcarsi per l'Argentina... Laggiù il proprietario di una filanda di Mulhouse ha incontrato Lemke per strada... Ancora un po' di maccheroni?».

«Volentieri... Dammi la crosta...».

«Non so se continuasse a lavorare o se viaggiassero per diporto... Un giorno hanno preso l'aereo per il Brasile e l'apparecchio si è schiantato sulle montagne. Non ci sono stati superstiti, né fra l'equipaggio né fra i passeggeri... Ed è proprio perché Lemke e sua moglie sono morti in un incidente aereo che l'eredità è andata tutta alla signora Keller, che non se l'aspettava affatto... Di regola, il denaro sarebbe dovuto andare alla famiglia del marito... E lo sai perché i Lemke non hanno avuto niente ed è stata la nipote della moglie a ereditare tutto?».

Barando, Maigret fece segno di no. In realtà, aveva capito benissimo.

«Pare che quando marito e moglie sono vittime di uno stesso incidente, senza che si possa stabilire chi è morto per primo, la legge considera che sia stata la donna a sopravvivere, anche se solo per pochi attimi... Insomma, i medici sostengono che abbiamo la pelle più dura, e così la zia ha ereditato per prima, e l'intero patrimonio è poi andato alla nipote... Ah!...».

La signora Maigret era contenta e piuttosto fiera di sé.

«In fin dei conti, se il dottor Keller è diventato un barbone è stato un po' perché un'infermiera dell'ospedale di Strasburgo ha sposato un commerciante in ferraglia e un aereo si è schiantato sulle montagne del Sudamerica... Se sua moglie non fosse diventata di colpo ricca, se avessero continuato ad abitare in rue du Sauvage, se... Capisci cosa voglio dire?... Tu non credi che sarebbe rimasto a Mulhouse?».

«È possibile...».

«Posso darti anche qualche informazione sulla moglie, ma ti avverto che si tratta di pettegolezzi e che mia sorella non se ne assume la responsabilità...».

«Continua...».

«Pare che sia una personcina molto vivace, sempre in movimento, amante della vita mondana e sempre a caccia di gente importante... Uscito di scena il marito, si è data alla bella vita organizzando grandi ricevimenti più volte alla settimana... Alla fine è diventata la ninfa Egeria del prefetto Badet... Sua moglie, che poi è morta, all'epoca era invalida... Le malelingue dicono che lei fosse la sua amante, e che ne abbia avuti altri, di amanti, compreso un generale di cui non ricordo il nome...».

«L'ho vista...».

Se la signora Maigret restò delusa non lo lasciò trapelare.

«E com'è?».

«Come l'hai appena descritta... Una piccola signora vivace, nervosa, molto curata, che non dimostra la sua età e che adora le cocorite...».

«Perché parli di cocorite?».

«Perché ne ha la casa piena».

«Abita a Parigi?».

«Nell'Île Saint-Louis, a trecento metri dal ponte sotto il quale dormiva suo marito... A proposito, sai che fumava la pipa?...».

Tra i maccheroni al gratin e l'insalata, Maigret tirò fuori di tasca la biglia e la fece rotolare sulla tovaglia.

«Che cos'è?».

«Una biglia. Il Dottore ne possedeva tre...».

La signora Maigret osservò il marito con attenzione.

«Quell'uomo ti piace, vero?».

«Credo di cominciare a capirlo...».

«Capisci che un uomo come lui possa diventare un barbone?».

«Forse... Ha vissuto in Africa, unico bianco in un posto sperduto, lontano dalle città e dalle grandi vie di comunicazione... E anche lì è rimasto deluso...».

«Perché?».

Era difficile spiegarlo alla signora Maigret, che aveva passato la vita nell'ordine e nel decoro.

«Quello che vorrei capire» continuò lui in tono leggero «è di cosa poteva essere colpevole...».

La signora Maigret aggrottò le sopracciglia:

«Che cosa vuoi dire?... Non è stato lui a essere massacrato di botte e gettato nella Senna?».

«Lui è la vittima, d'accordo...».

«E allora? Perché dici che...».

«Perché i criminologi, in particolare quelli americani, hanno una teoria in proposito, che forse non è così paradossale come sembra...».

«Quale teoria?».

«Che in almeno otto delitti su dieci la vittima condivide in larga misura la responsabilità dell'assassino...».

«Non capisco...».

Il commissario guardava la biglia, come affascinato.

«Prendiamo il caso di una coppia che litiga... L'uomo è geloso e fa una sfuriata alla donna, che ride di lui...».

«Sì, può succedere...».

«E supponiamo che l'uomo abbia in mano un coltello e che le dica:

«"Sta attenta... La prossima volta t'ammazzo..."».

«Anche questo può succedere...».

Non nel suo mondo!

«Supponi, adesso, che lei lo sfidi:

«"Non oseresti mai... Non ne sei capace..."».

«Ho capito».

«Be', in molti drammi passionali le cose vanno proprio così... Poco fa parlavi di Lemke, che è diventato ricco un po' con l'usura, spingendo le sue vittime alla disperazione, e un po' trafficando con i tedeschi... Ti saresti meravigliata se qualcuno l'avesse fatto fuori?».

«Ma... il Dottore?...».

«Sembrava inoffensivo. Viveva sotto i ponti, beveva vino rosso a canna e passeggiava per le strade con addosso un cartellone pubblicitario...».

«Lo vedi!».

«Eppure qualcuno è sceso di notte sull'argine e, mentre lui dormiva, gli ha sferrato alla testa un colpo che avrebbe potuto essere mortale, dopodiché lo ha trascinato fino alla Senna, da dove lo hanno ripescato per miracolo... Quel qualcuno doveva avere un motivo... In altre parole, il Dottore gli aveva dato, consapevolmente o no, un motivo per ucciderlo...».

«È ancora in coma?».

«Sì».

«Speri di cavarne qualcosa, quando potrà parlare?».

Lui si strinse nelle spalle e prese a caricare la pipa. Un po' più tardi spensero la luce e si sedettero davanti alla finestra che era rimasta aperta.

Fu una serata tranquilla e gradevole, con lunghi silenzi tra una frase e l'altra, il che non impediva loro di sentirsi molto vicini.

L'indomani mattina, quando Maigret arrivò in ufficio, il tempo era splendido come il giorno prima, e i puntini verdi sugli alberi si erano già trasformati in vere e proprie foglie ancora piccole e delicate.

Il commissario si era appena seduto alla scrivania che entrò da lui Lapointe, tutto pimpante.

«Ho due clienti per lei, capo...».

Era altrettanto fiero e impaziente della signora Maigret la sera prima.

«Dove sono?».

«In sala d'attesa».

«Di chi si tratta?».

«Del proprietario della Peugeot rossa e dell'amico che era con lui lunedì sera... Non ho molto di che vantarmi, in realtà... Contrariamente a quanto si potrebbe pensare, a Parigi ci sono poche 403 rosse, e solo tre hanno una targa con due 9... Una delle tre è in riparazione da otto giorni e l'altra al momento si trova a Cannes con il suo proprietario...».

«Hai già interrogato i due uomini?».

«Giusto un paio di domande... Ho preferito che li vedesse lei... Vado a chiamarli?».

C'era qualcosa di misterioso nell'atteggiamento di Lapointe, come se riservasse a Maigret un'altra sorpresa.

«Sì, va'...».

E aspettò, seduto alla scrivania, sempre con una biglia multicolore in tasca, a mo' di talismano.

«Il signor Jean Guillot...» annunciò l'ispettore introducendo il primo cliente.

Era un uomo sulla quarantina, di statura media, vestito con una certa ricercatezza.

«E il signor Hardoin, disegnatore industriale...».

Questi era più alto, più magro, di qualche anno più giovane e, Maigret se ne sarebbe ben presto accorto, balbuziente.

«Prego, signori, accomodatevi... A quanto mi dicono, uno di voi è proprietario di una Peugeot di colore rosso...».

Fu Jean Guillot ad alzare la mano, non senza un certo orgoglio.

«È la mia macchina» disse. «L'ho acquistata all'inizio dell'inverno...».

«Dove abita, signor Guillot?».

«In rue de Turenne, vicino al boulevard du Temple».

«Professione?».

«Agente assicurativo».

Trovarsi in un ufficio della Polizia giudiziaria ed essere interrogato da un commissario capo lo emozionava un po', ma non sembrava spaventato. Anzi, si guardava intorno con curiosità, come per poter fornire in seguito agli amici un resoconto dettagliato.

«E lei, signor Hardoin?».

«A... a... abito nella ste... ste... stessa ca... ca... casa».

«Al piano sopra il nostro» gli venne in aiuto Guillot.

«È sposato?».

«Ce... ce... celibe...».

«Io invece sono sposato e ho due figli, un maschio e una femmina» aggiunse Guillot, che non aspettava le domande per parlare.

In piedi vicino alla porta, Lapointe se la rideva sotto i baffi. I due uomini, ciascuno sulla sua sedia, ciascuno col suo cappello sulle ginocchia, sembravano una coppia di attori impegnati in un numero di varietà.

«Siete amici?».

Risposero all'unisono (per quanto almeno lo permetteva la balbuzie di Hardoin):

«Ottimi amici...».

«Conoscevate François Keller?».

Si guardarono l'un l'altro, stupiti, come se sentissero quel nome per la prima volta, e fu Hardoin a chiedere:

«Chi... chi... chi sa... sarebbe?».

«Per molti anni ha fatto il medico a Mulhouse».

«Non ci ho mai messo piede, io, a Mulhouse...» affermò Guillot. «E questo Keller dice di conoscermi?».

«Che cosa ha fatto lunedì sera?».

«Come ho già detto al suo ispettore, non pensavo davvero che fosse vietato...».

«Mi racconti dettagliatamente quello che ha fatto...».

«Quando sono rientrato dal mio giro, verso le otto – faccio la periferia ovest –, mia moglie mi ha preso in disparte per non farsi sentire dai bambini e mi ha annunciato che Nestor...».

«Chi è Nestor?».

«Il nostro cane... Un alano... Aveva dodici anni ed era affettuosissimo con i bambini, che aveva per così dire visto nascere... Quando erano piccoli, si accucciava ai piedi della culla e quasi non osavo avvicinarmi...».

«Sua moglie, dunque, le ha annunciato...».

Ma l'altro continuò imperturbabile:

«Non so se lei abbia mai avuto un alano... Di solito vivono meno degli altri cani, chissà perché... E negli ultimi tempi hanno quasi tutti gli acciacchi degli uomini... Da qualche settimana Nestor era semiparalizzato, e avevo proposto di portarlo dal veterinario per sopprimerlo... Mia moglie non ha voluto... Lunedì, quando sono rientrato, il cane stava agonizzando, e per evitare che i bambini assistessero a quello spettacolo mia moglie era andata a chiamare il nostro amico Lucien, che l'aveva aiutata a trasportare Nestor su da lui...».

Maigret guardò Lapointe, che rispose con una strizzatina d'occhio.

«Sono salito subito da Hardoin per vedere come andavano le cose... Il povero Nestor era alla fine. Ho telefonato al nostro veterinario, e mi hanno risposto che era a teatro e che non sarebbe rientrato prima di mezzanotte... Siamo stati più di due ore a guardare il cane che moriva... Mi ero seduto per terra e la povera bestia aveva posato il muso sulle mie ginocchia... Il corpo era scosso da tremiti convulsi...».

Hardoin approvava con la testa e cercava di intervenire.

«È... è...».

«È morto alle dieci e mezzo» lo interruppe l'assicuratore. «Sono sceso ad avvertire mia moglie e sono rimasto in casa, dove i bambini dormivano, mentre lei saliva da Lucien per dare a Nestor un ultimo saluto... Ho mangiato un boccone, perché non avevo cenato... Le confesso che dopo ho bevuto due bicchierini di cognac per tirarmi su, e quando mia moglie è tornata ho preso con me la bottiglia per offrirne a Hardoin, che era scosso almeno quanto me...».

Un piccolo dramma, insomma, in margine a un altro dramma.

«A quel punto ci siamo domandati cosa fare del cadavere... Ho sentito dire che esiste un cimitero dei cani, ma deve costare parecchio, e oltretutto non posso perfimi di perdere una giornata di lavoro per occuparmi di questo... Anche mia moglie non ha tempo...».

«In breve...» disse Maigret.

«In breve...».

E Guillot restò col fiato sospeso perché aveva perso il filo.

«Noi... noi... noi...».

«D'altra parte non volevamo gettarlo in una discarica... Ma lei ha idea delle dimensioni di un alano?... Disteso nella sala da pranzo di Hardoin sembrava ancora più grande e più impressionante... In breve...».

Adesso era contento: aveva ritrovato il filo del discorso.

«In breve, abbiamo deciso di gettarlo nella Senna. Sono sceso da me a prendere uno di quei sacchi che si usano per le patate... Non era abbastanza grande e le zampe spuntavano fuori... Non immagina la fatica per portar giù la bestia e fila nel cofano della macchina...».

«Che ora era?».

«Le undici e dieci...».

«Come fa a sapere che erano proprio le undici e dieci?».

«Perché la portinaia non era ancora andata a letto. Ci ha visti passare e ci ha domandato cos'era successo. Gliel'ho spiegato. Siccome la porta della guardiola era aperta, ho guardato meccanicamente l'orologio che segnava le undici e dieci...».

«Glielo avete detto che andavate a gettare il cane nella Senna? E siete andati direttamente al pont des Célestins?».

«Era il più vicino...».

«Dovete esserci arrivati in pochi minuti... Suppongo che non vi siate fermati lungo il tragitto...».

«All'andata no... Abbiamo preso la strada più corta... Ci avremo messo cinque minuti... Ho esitato a scendere giù per la rampa con l'automobile, ma dato che intorno non c'era anima viva alla fine mi sono arrischiato...».

«Dunque non erano ancora le undici e mezza...».

«No, di sicuro... Vedrà... Abbiamo preso il sacco in due e lo abbiamo buttato in acqua...».

«Sempre senza vedere nessuno?».
«Proprio così...».
«Non c'era una chiatta nelle vicinanze?».
«Sì, è vero... Abbiamo persino notato che all'interno c'era luce...».
«Ma il marinaio lo avete visto?».
«No...».
«Non siete arrivati fino al pont Marie?».
«Non avevamo nessuna ragione di andare più in là... Abbiamo gettato Nestor nella Senna il più vicino possibile alla macchina...».
Hardoin continuava ad approvare il racconto dell'amico e ogni tanto apriva la bocca cercando di piazzare qualche parola, ma poi la richiudeva scoraggiato.
«Dopo cos'è successo?».
«Ce ne siamo andati... Una volta su...».
«Intende dire sul quai des Célestins?».
«Sì... Mi sentivo tutto scombussolato e mi è venuto in mente che nella bottiglia non c'era più un goccio di cognac... Quella serata mi aveva provato... In un certo senso Nestor faceva parte della famiglia... Così in rue de Turenne ho proposto a Lucien di bere qualcosa, e ci siamo fermati in un caffè sull'angolo della rue des Francs-Bourgeois, di fianco a place des Vosges...».
«Avete bevuto dell'altro cognac?...».
«Già... Anche lì c'era un orologio e l'ho guardato... Il padrone mi ha avvisato che andava avanti di cinque minuti... Era mezzanotte meno venti...».
E ripeté con aria afflitta:
«Le giuro che non sapevo che fosse vietato... Si metta nei miei panni... Soprattutto per i bambini... Volevo risparmiar loro quello spettacolo... Non sanno ancora che il cane è morto... Gli abbiamo detto che era scappato, che forse lo avremmo ritrovato...».

Senza rendersene conto, Maigret aveva tirato fuori di tasca la biglia e se la gingillava tra le dita.
«Suppongo che lei mi abbia detto la verità...».
«Perché avrei dovuto mentirle? Se c'è una multa da pagare, sono pronto a...».
«A che ora siete rincasati?».
I due uomini si guardarono, vagamente imbarazzati. Ancora una volta Hardoin aprì la bocca, e ancora una volta fu Guillot a rispondere.
«Tardi... Verso l'una...».
«Il caffè della rue de Turenne è rimasto aperto fino all'una del mattino?».
Maigret conosceva bene quel quartiere e sapeva che a mezzanotte, se non prima, è già tutto chiuso.
«No. Siamo andati a farci l'ultimo cicchetto in place de la République...».
«Eravate ubriachi?».
«Sa com'è... In certi casi si beve per tirarsi su... Un bicchiere... Poi un altro...».
«Non siete ritornati lungo la Senna?».
Guillot assunse un'aria sorpresa e guardò l'amico come per chiedergli di suffragare la sua testimonianza.
«Mai più! Che motivo c'era?».
Maigret si rivolse a Lapointe.
«Portali di là e registra la loro deposizione... Vi ringrazio, signori... Non ho bisogno di aggiungere che verificheremo tutto quello che avete dichiarato...».
«Ho detto la verità, lo giuro...».
«Anc... anc... anch'io».
Sembrava veramente una farsa. Rimasto solo nel suo ufficio, Maigret si piazzò davanti alla finestra aperta con una biglia di vetro in mano. Guardava pensoso la Senna che scorreva al di là degli alberi, i battelli che passavano, le macchie chiare dei vestiti delle donne sul pont Saint-Michel.

Alla fine tornò a sedersi e chiese di parlare con l'ospedale.

«Mi passi la caposala della Chirurgia...».

Dopo averlo visto con il primario e aver ricevuto le debite istruzioni, la donna era tutta un miele.

«Stavo giusto per telefonarle, signor commissario... Il professor Magnin lo ha appena visitato e lo ha trovato molto migliorato rispetto a ieri sera... Spera che non ci saranno complicazioni... È quasi un miracolo...».

«Ha ripreso conoscenza?».

«Non completamente, ma comincia a guardarsi intorno con un certo interesse... È difficile capire se si rende conto del suo stato e del posto in cui si trova...».

«È sempre tutto bendato?».

«La faccia no...».

«Lei crede che oggi riprenderà conoscenza?».

«Può capitare da un momento all'altro... Vuole che l'avverta non appena comincerà a parlare?...».

«No... Vengo lì io».

«Adesso?».

Adesso, sì. Era ansioso di conoscere l'uomo che aveva sempre visto con la testa fasciata. Passò per l'ufficio degli ispettori, dove Lapointe stava battendo a macchina la deposizione dell'assicuratore e dell'amico balbuziente.

«Vado all'ospedale... Non so quando rientrerò...».

Era a due passi. Ci andò come per far visita a un conoscente, senza affrettarsi, la pipa tra i denti, le mani dietro la schiena, rimuginando pensieri alquanto vaghi.

Quando arrivò all'ospedale, trovò Léa la cicciona, sempre con la sua camicetta rosa, che si allontanava dallo sportello delle informazioni con aria indispettita. Si precipitò verso di lui.

«Pensi, signor commissario, non solo mi impediscono di vederlo, ma si rifiutano di darmi sue notizie... Ancora un po' chiamavano un agente per sbattermi fuori... Sa qualcosa, lei?».

«Mi hanno appena detto che sta molto meglio...».

«Ci sono speranze? Ce la farà?».

«È probabile».

«Soffre molto?».

«Non credo che se ne renda conto... Devono avergli dato degli antidolorifici...».

«Ieri dei poliziotti in borghese sono venuti a prendere le sue cose... Sono dei vostri?...».

Maigret rispose affermativamente e aggiunse sorridendo:

«Non aver paura... Gli restituiremo tutto...».

«Ha già idea di chi è stato a conciarlo così?».

«E tu?».

«Sono quindici anni che vivo sotto i ponti, ed è la prima volta che se la prendono con un barbone... Siamo persone inoffensive, lei deve saperlo meglio di chiunque...».

La parola le piaceva e la ripeté:

«Inoffensivi... Neanche una rissa, mai... Ognuno rispetta la libertà degli altri... Se non fosse così, perché dormiremmo sotto i ponti?...».

Il commissario la guardò con più attenzione e notò che aveva gli occhi un po' rossi, il colorito più acceso del giorno prima.

«Hai bevuto?».

«Giusto un cicchetto per tirarmi su...».

«Che cosa dicono i vostri compagni?».

«Niente, dicono... Quando se ne sono viste di tutti i colori non si ha più tanta voglia di spettegolare...».

Mentre Maigret stava per infilare la porta, lei gli chiese:

«Posso aspettarla quando esce per avere notizie?».

«Forse sarà una cosa lunga...».

«Non fa niente... Stare qua o stare là...».

Aveva ritrovato il buonumore, il suo sorriso fanciullesco.

«Non avrebbe una sigaretta?».

Lui le mostrò la pipa.

«Allora una presa di tabacco... Se non posso fumare, cicco...».

Maigret salì in ascensore insieme a un malato in barella e a due infermiere. Al terzo piano trovò la caposala che usciva da una delle camerate.

«Conosce la strada... La raggiungo tra un momento... Mi chiamano al pronto soccorso...».

Come il giorno prima, tutti i malati della stanza lo seguirono con lo sguardo. Avevano già l'aria di riconoscerlo. Maigret, con il cappello in mano, si diresse verso il letto del dottor Keller e scoprì finalmente un volto sul quale ormai non c'era che qualche striscia di cerotto.

Gli avevano fatto la barba il giorno prima, ma anche così assomigliava solo vagamente all'uomo della fotografia. I lineamenti erano scavati, il colorito spento, le labbra sottili e pallide. Ma una cosa soprattutto colpì Maigret: d'improvviso si trovava davanti a uno sguardo.

Perché non c'era alcun dubbio: il Dottore lo guardava, e non era lo sguardo di un uomo che non è cosciente.

Non sapeva cosa dire, ma al tempo stesso il silenzio lo metteva a disagio. Allora si sedette accanto al letto e mormorò con voce imbarazzata:

«Va meglio?».

Era sicuro che le parole non andavano a perdersi nella nebbia, che venivano registrate, capite. Ma lo sguardo, fisso su di lui, era immobile e si limitava a esprimere la più assoluta indifferenza.

«Mi sente, dottor Keller?».

Era l'inizio di una lunga e deprimente battaglia.

5

Maigret parlava raramente a sua moglie di un'inchiesta in corso. E di solito non ne discuteva neppure con i suoi più stretti collaboratori, ai quali si limitava a dare istruzioni. Dipendeva dal suo modo di lavorare, da come cercava di capire, di penetrare a poco a poco nella vita di persone che fino al giorno prima non conosceva.

«Che cosa ne pensa, Maigret?» era la domanda che spesso si sentiva rivolgere da qualche giudice istruttore in occasione di un sopralluogo della Procura o della ricostruzione di un delitto.

Al Palazzo di Giustizia tutti conoscevano la sua risposta, che era invariabilmente:

«Io non penso mai, signor giudice».

E un giorno qualcuno aveva precisato:

«Lui si lascia impregnare...».

In un certo senso era vero: le parole gli sembravano troppo precise, e preferiva tacere.

Ma questa volta era diverso, quanto meno con la signora Maigret, forse perché, grazie alla sorella che abitava a Mulhouse, gli aveva dato una mano. E mettendosi a tavola per il pranzo, le annunciò:

«Questa mattina ho conosciuto Keller...».

Lei parve molto sorpresa. Non solo perché il marito ne parlava per primo, ma a causa del tono allegro. Non allegro, a essere precisi, e neppure brioso. Nella sua voce, nei suoi occhi, c'era piuttosto una certa leggerezza, un certo buonumore.

Per una volta i giornali non lo assillavano, e il sostituto procuratore, il giudice lo lasciavano in pace. Un barbone era stato aggredito sotto il pont Marie e gettato nella Senna in piena, ma per miracolo se l'era cavata e il professor Magnin non riusciva a capacitarsi della sua rapida ripresa.

Era un delitto senza vittima, insomma, si sarebbe quasi potuto dire senza assassino, e nessuno si preoccupava del Dottore, tranne Léa la cicciona e, forse, due o tre barboni.

Eppure Maigret dedicava a quel caso lo stesso tempo che avrebbe dedicato a un dramma da prima pagina. Sembrava ne facesse una questione personale, e dal modo in cui aveva appena annunciato il suo colloquio con Keller si sarebbe potuto credere che si trattava di qualcuno che lui e sua moglie desideravano incontrare da tempo.

«Ha ripreso conoscenza?» domandò la signora Maigret, cercando di non manifestare un eccessivo interesse.

«Sì e no... Non ha aperto bocca... Mi ha solo guardato, ma sono convinto che abbia afferrato tutto quello che gli ho detto... La caposala non è dello stesso parere... Sostiene che è ancora intontito dai farmaci che gli hanno somministrato... Insomma, è un po' come un pugile che si rimetta in piedi dopo un ko...».

Continuò a mangiare, guardando fuori dalla finestra e ascoltando gli uccelli.

«Hai l'impressione che conosca il suo aggressore?».

Maigret sospirò ed ebbe poi un lieve sorriso che non gli era abituale, un sorriso ironico, autoironico anzi.

«Non ne ho idea... Avrei una certa difficoltà a spiegare la mia impressione...».

Raramente si era sentito disorientato come quella mattina all'ospedale, e insieme altrettanto preso da un caso.

Già le condizioni in cui si era svolto il colloquio non erano delle più favorevoli. Aveva avuto luogo in una stanza affollata in cui c'erano una dozzina di pazienti a letto e tre o quattro seduti o in piedi accanto alla finestra. Alcuni erano gravi, soffrivano, sicché i campanelli suonavano in continuazione e un'infermiera andava su e giù, chinandosi sull'uno o sull'altro letto.

Tutti, con maggiore o minore insistenza, guardavano il commissario seduto vicino a Keller e stavano con le orecchie tese.

E poi di tanto in tanto spuntava la caposala, che li osservava dalla porta con aria preoccupata e scontenta.

«Non deve fermarsi a lungo» gli aveva raccomandato. «Cerchi di non stancarlo...».

Chino sul suo interlocutore, Maigret parlava sottovoce, adagio, in una sorta di mormorio.

«Mi sente, signor Keller?... Si ricorda di quello che le è successo lunedì sera, quando stava sotto il pont Marie?».

Il volto del ferito era immobile, ma il commissario badava solo agli occhi, che non esprimevano né angoscia né inquietudine. Erano occhi di un grigio slavato, occhi che avevano molto visto, che sembravano come consumati.

«Stava dormendo quando l'hanno aggredita?».

Quegli occhi restavano tranquillamente fissi su di lui e succedeva qualcosa di strano: sembrava non fosse Maigret a studiare Keller, ma piuttosto il contrario.

La sensazione era così imbarazzante che il commissario pensò bene di presentarsi.

«Mi chiamo Maigret... Dirigo la Squadra omicidi della Polizia giudiziaria... Sto cercando di capire quello che le è successo... Ho incontrato sua moglie, sua figlia, i battellieri che l'hanno tirata fuori dalla Senna...».

Quando il commissario aveva menzionato la moglie e la figlia, l'uomo non aveva manifestato emozione alcuna ma nel suo sguardo era passato, manifestamente, un lampo di ironia.

«Non è in grado di parlare?».

Non cercava neppure di rispondere con un movimento sia pur minimo del capo, o battendo le palpebre.

«È consapevole del fatto che le sto parlando?».

Eccome! Maigret era sicuro di non sbagliarsi. Non solo Keller ne era consapevole, ma non perdeva una sillaba delle parole pronunciate.

«Si sente a disagio perché la interrogo in questa stanza, dove gli altri malati ci ascoltano?».

Allora, come per ingraziarsi il barbone, si affrettò a spiegare:

«Avrei preferito che le dessero una camera privata... Sfortunatamente la cosa pone complicati problemi amministrativi... E il nostro budget non ci consente una spesa del genere...».

Paradossalmente sarebbe stato più semplice se, anziché la vittima, Keller fosse stato l'assassino o anche solo un indiziato. Per la vittima non era previsto niente.

«Sarò costretto a far venire sua moglie, è necessario un riconoscimento formale... L'idea di rivederla la disturba?».

Le labbra si mossero un po' senza che ne uscisse alcun suono, e non ci fu né una smorfia né un sorriso.

«Si sente abbastanza bene perché chieda a sua moglie di passare questa mattina?».

L'uomo non sembrò opporsi, e Maigret ne approfittò per concedersi una pausa. Aveva caldo. E in quella stanza che sapeva di ospedale si sentiva soffocare.

«Posso telefonare?» andò a domandare alla caposala.

«Ha intenzione di torturarlo ancora a lungo?».

«La moglie deve riconoscerlo... Ci vorranno solo pochi minuti...».

Tutto questo lo raccontava sommariamente alla signora Maigret mentre pranzavano davanti alla finestra.

«Lei era in casa,» proseguì «e mi ha promesso di venire subito. Ho dato istruzioni, giù all'ingresso, perché la lasciassero passare. Nell'attesa ho fatto quattro passi nel corridoio, dove mi ha raggiunto il professor Magnin...».

Avevano chiacchierato in piedi davanti a una finestra che dava sul cortile.

«Ritiene anche lei che abbia recuperato piena coscienza?» chiese Maigret.

«È possibile... Quando l'ho visitato, poco fa, mi ha dato l'impressione di capire quello che gli succedeva intorno... Ma da un punto di vista strettamente clinico non posso ancora darle una risposta categorica... La gente pensa che noi medici siamo infallibili e che possiamo rispondere a tutte le domande... Invece andiamo perlopiù a tentoni... Ho chiesto a un neurologo di venire a vederlo nel pomeriggio...».

«Suppongo sia difficile trovargli una stanza privata...».

«Difficile? Diciamo che è impossibile. Non abbiamo più posto. In certi reparti siamo stati costretti a mettere dei letti nei corridoi... Oppure bisogna trasferirlo in una clinica privata...».

«E se la moglie lo proponesse?».

«Crede che a lui la cosa andrebbe a genio?».

Era poco probabile. Se Keller aveva scelto di andarsene e di vivere sotto i ponti non era certo per ritrovarsi, a causa di un'aggressione, a carico della moglie.

Ma eccola che usciva dall'ascensore e si guardava intorno, disorientata, mentre Maigret le andava incontro.

«Come sta?».

Non era eccessivamente preoccupata, né emozionata. Si capiva soprattutto che non si sentiva a suo agio e che aveva una gran fretta di ritrovare l'elegante appartamento dell'Île Saint-Louis e le amate cocorite.

«Sembra calmo...».

«È cosciente?».

«Credo di sì, ma non ne ho la prova...».

«Devo parlargli?».

Il commissario la fece passare davanti a sé e gli occhi di tutti i malati la seguirono mentre procedeva sul pavimento tirato a cera della stanza. Lei cercò il marito con gli occhi, poi si diresse decisa verso il quinto letto, fermandosi a un paio di metri di distanza come se non sapesse che contegno assumere.

Keller l'aveva vista e la guardava, sempre indifferente.

Nel suo tailleur di shantung beige con cappello in tinta era molto elegante, e il suo profumo si mescolava all'odore dei medicinali.

«Lo riconosce?».

«È lui, sì... È molto cambiato, ma è lui...».

Ci fu di nuovo un momento di silenzio, penoso

per tutti. Allora lei si fece coraggio e si decise ad avvicinarsi. Tormentando nervosamente la cerniera della borsetta con le mani guantate prese a dire:

«Sono io, François... Non immaginavo certo di rivederti un giorno in circostanze così tristi... Ma sembra che ti riprenderai presto... Vorrei aiutarti...».

Che cosa pensava, lui, mentre la guardava? Da diciassette o diciott'anni viveva in un altro mondo. Era un po' come se ritornasse a galla per ritrovarsi davanti un passato dal quale era fuggito.

Non c'era traccia di amarezza sul suo volto. Si limitava a guardare quella che era stata per tanto tempo sua moglie, e ogni tanto girava appena la testa per assicurarsi che Maigret fosse sempre lì.

E adesso il commissario spiegava alla signora Maigret:

«Giurerei che mi stava chiedendo di farla finita con quel confronto...».

«Ne parli come se lo conoscessi da sempre...».

Non era un po' così? Maigret non aveva mai incontrato Keller in precedenza, ma quanti uomini che gli assomigliavano, e che aveva fatto parlare nel segreto del suo ufficio, aveva conosciuto durante la sua carriera? Forse non si era trattato di casi così estremi. Ma il problema umano era lo stesso.

«Non ha insistito per fermarsi di più» continuò a raccontare. «Prima di lasciarlo è stata lì lì per aprire la borsetta e prendere del denaro. Ma per fortuna non l'ha fatto... Poi in corridoio mi ha chiesto:

«"Pensa che abbia bisogno di qualcosa?".

«Le ho risposto di no, ma lei ha insistito:

«"Forse potrei consegnare alla direzione dell'ospedale una certa somma destinata a lui... In una stanza privata starebbe meglio...".

«"Sono tutte occupate...".

«Si è accontentata della risposta.

«"Allora cosa devo fare?".

«"Per il momento niente... Le manderò un ispettore per farle firmare un foglio nel quale lei dichiarerà che si tratta effettivamente di suo marito...".

«"A che scopo, dal momento che è proprio lui?".

«Alla fine se n'è andata...».

Avevano finito di mangiare e se ne stavano seduti a tavola davanti alla tazzina del caffè. Maigret si era acceso la pipa.

«Sei tornato dentro?».

«Sì... Sfidando le occhiate arcigne della caposala...».

Era diventata quasi una nemica personale.

«E lui ha continuato a non parlare?».

«Già... L'ho fatto solo io, sottovoce, mentre un interno medicava un malato nel letto vicino...».

«Che cosa gli hai detto?».

Per la signora Maigret quella conversazione davanti alle tazzine del caffè aveva del miracoloso. Di solito sapeva ben poco del caso di cui si stava occupando il marito. Lui le telefonava per avvertirla che non sarebbe rientrato per il pranzo o per la cena, o a volte che avrebbe passato parte della notte in ufficio o altrove, e in genere era dai giornali che veniva a saperne un po' di più.

«Non ricordo esattamente che cosa gli ho detto...» rispose il commissario, vagamente turbato. «Volevo metterlo a suo agio... Gli ho parlato di Léa che mi aspettava fuori, dei suoi effetti personali che avevamo sistemato in un luogo sicuro e che gli sarebbero stati restituiti quando l'avrebbero dimesso...

«Tutto questo sembrava fargli piacere.

«Gli ho anche detto che non era obbligato a rivedere sua moglie se non lo desiderava, che lei si era offerta di pagargli una stanza privata ma che di libere non ce n'erano...

«Da lontano dovevo aver l'aria di recitare il rosario...

«“Suppongo che lei preferisca restare qui piuttosto che andare in una clinica...”».

«E lui, sempre zitto?».

Maigret era imbarazzato.

«Lo so che è stupido, ma sono sicuro che mi dava ragione, che ci capivamo... Ho cercato di riprendere l'argomento dell'aggressione...

«“Stava dormendo?”.

«Mi sembrava di giocare al gatto col topo... Sono convinto che ha deciso una volta per tutte di tenere la bocca chiusa... E un uomo che è stato capace di vivere per tanti anni sotto i ponti è anche capace di tacere...».

«E perché lo farebbe?».

«Non lo so».

«Forse per evitare di accusare qualcuno?».

«Forse».

«Ma chi?».

Maigret si alzò stringendosi nelle larghe spalle.

«Se lo sapessi, sarei domineddio... Mi viene voglia di risponderti come il professor Magnin: neanch'io faccio miracoli...».

«Non hai saputo niente di nuovo, insomma...».

«Già».

Non era del tutto esatto. Il commissario era convinto di avere capito molte cose sul conto del Dottore. Non cominciava ancora a conoscerlo veramente, è vero, ma c'erano stati comunque tra loro dei contatti furtivi e un po' misteriosi.

«A un certo punto...».

Si fermò, come se temesse d'esser giudicato puerile. Pazienza! Aveva bisogno di parlare.

«A un certo punto ho tirato fuori di tasca la biglia... A dire la verità non l'ho fatto coscientemente... L'ho sentita nella mano e mi è venuto spontaneo farla scivolare nella sua... Dovevo avere un'aria un po' stramba... E lui non ha neanche avuto bisogno di guardarla... L'ha riconosciuta al tatto... Sono sicuro, checché ne dica l'infermiera, che gli si è illuminato il viso e che ha avuto negli occhi uno sprazzo di malizia e di gioia...».

«Però ha continuato a tacere...».

«Questa è un'altra faccenda... Lui non mi aiuterà... Ha deciso di non aiutarmi, di non dir niente, e dovrò scoprire la verità da solo...».

Era quella sfida a eccitarlo? Raramente sua moglie lo aveva visto così animato, così appassionato a un caso.

«Giù ho ritrovato Léa che mi aspettava sul marciapiede masticando il tabacco che le avevo dato prima, e gliene ho regalato dell'altro, tutto quello che avevo...».

«Pensi che sappia qualcosa?».

«Se sapesse qualcosa me lo direbbe... Fra quella gente c'è più solidarietà di quanta ce ne sia fra chi vive in normali appartamenti... Sono convinto che in questo momento si interrogano l'un l'altro, conducono la loro piccola inchiesta in margine alla mia...

«Da Léa ho saputo un solo fatto che potrebbe avere un qualche interesse, e cioè che Keller non ha sempre dormito sotto il pont Marie e che abita in quel quartiere, se così si può dire, solo da due anni...».

«Prima dove viveva?».

«Sempre in riva alla Senna, ma più a monte, quai de la Rapée, sotto il pont de Bercy...».

«Capita spesso che cambino posto?».

«No. È una cosa molto impegnativa, come per noi un trasloco... Ciascuno si fa la sua nicchia e ci resta, più o meno...».

Alla fine, come per ricompensarsi, o per non perdere il buonumore, il commissario si versò un bicchierino di prunella. Dopodiché prese il cappello e diede un bacio alla signora Maigret.

«A stasera».

«Pensi di tornare per cena?».

Ne sapeva quanto lei. In realtà non aveva la minima idea di quello che avrebbe fatto.

Torrence aveva controllato fin dal mattino le dichiarazioni dell'assicuratore e dell'amico balbuziente, e doveva aver già interrogato la portinaia della rue de Turenne, signora Goulet, e l'oste sull'angolo della rue des Francs-Bourgeois.

Avrebbero saputo presto se la storia del cane Nestor era vera o inventata di sana pianta. Pur se vera, comunque, non avrebbe provato l'estraneità dei due uomini all'aggressione.

Ma che motivi avevano di aggredirlo? Al momento, il commissario non ne vedeva alcuno.

E che motivi aveva la signora Keller, ad esempio, per far gettare il marito nella Senna? Da chi, poi?

Una volta un tipo insignificante e spiantato era stato assassinato in circostanze altrettanto misteriose, e lui aveva detto al giudice istruttore:

«Di solito non si uccidono i poveracci...».

E neanche i barboni. Eppure qualcuno aveva tentato di sbarazzarsi di François Keller, era evidente.

Maigret stava sulla piattaforma dell'autobus e ascoltava distrattamente le frasi che si andavano sussurrando due innamorati in piedi accanto a lui, quando un'ipotesi gli si affacciò alla mente. Era stata la parola «poveracci» a suggerirgliela.

Appena arrivato in ufficio, chiamò al telefono la signora Keller. Non era in casa. La cameriera lo informò che la signora pranzava in centro con un'amica, ma non sapeva in quale ristorante.

Allora chiamò Jacqueline Rousselet.

«Così ha visto la mamma... Mi ha telefonato ieri sera, dopo la sua visita... E mi ha chiamato di nuovo meno di un'ora fa... Dunque si tratta proprio di mio padre...».

«Ormai sembra non esserci più alcun dubbio sulla sua identità...».

«Non avete ancora idea del perché lo hanno assalito?... Non si sarà trattato di una rissa?».

«Suo padre era un rissoso?».

«Era l'uomo più mite del mondo, almeno all'epoca in cui vivevo con lui, e credo che si sarebbe lasciato colpire senza reagire...».

«È al corrente degli affari di sua madre?».

«Quali affari?».

«Quando si è sposata non era ricca e non si aspettava di diventarlo in seguito... E neanche suo padre se lo aspettava... Mi chiedo allora se si siano preoccupati di stipulare un contratto di matrimonio... Perché in caso contrario risultano sposati in regime di comunione dei beni, e suo padre potrebbe pretendere la metà del patrimonio...».

«Questo è escluso...» rispose lei senza esitare.

«Ne è sicura?».

«La mamma glielo confermerà... La questione si è posta, dal notaio, quando ho sposato mio marito... Mia madre e mio padre hanno optato per la separazione dei beni...».

«Sarebbe indiscreto chiederle il nome del notaio?».

«Prijean, rue de Bassano...».

«La ringrazio...».

«Non vuole che vada all'ospedale?».

«Desidera andarci?».

«Non sono sicura che la mia visita gli farebbe piacere... A mia madre non ha detto una sola parola... Sembra che abbia fatto finta di non riconoscerla...».

«Già... Forse per il momento è meglio rimandare...».

Aveva bisogno di darsi l'illusione di agire e chiamò subito Prijean. Dovette discutere piuttosto a lungo e persino ventilare la minaccia di una commissione rogatoria firmata dal giudice istruttore, perché il notaio si trincerava dietro il segreto professionale.

«Le chiedo solo di dirmi se il signore e la signora Keller, di Mulhouse, si sono sposati in regime di separazione dei beni e se l'atto è nelle sue mani...».

Alla fine ci fu un «sì» piuttosto secco e il notaio riattaccò.

In altre parole, François Keller era effettivamente un poveraccio che non poteva vantare alcun diritto sul denaro accumulato dal commerciante di ferraglia e poi finito nelle mani di sua moglie.

Poco dopo l'addetto al centralino fu alquanto sorpreso di sentirsi chiedere dal commissario:

«Mi passi la chiusa di Suresnes...».

«La chiusa?».

«La chiusa, sì. Avranno pure il telefono, laggiù, no?».

«D'accordo, capo...».

Alla fine riuscì ad avere in linea il capo guardiano della chiusa e gli si presentò con nome e grado.

«Immagino che prendiate nota delle imbarcazioni che passano da un tronco all'altro del canale... Vorrei sapere dove si trova adesso una chiatta a motore che deve aver superato la vostra chiusa nel tardo pomeriggio... Ha un nome fiammingo... *De Zwarte Zwaan...*».

«Sì, ho capito qual è... Due fratelli, una giovane donna molto bionda e una bambina piccola... Sono passati per ultimi attraverso la chiusa e hanno trascorso la notte sotto le saracinesche...».

«Ha idea di dove siano in questo momento?».

«Aspetti... Hanno un buon motore e possono approfittare di una corrente che è ancora piuttosto forte...».

Lo si sentiva fare dei calcoli, borbottare tra sé nomi di città e di villaggi.

«Se non vado errato, devono aver percorso un centinaio di chilometri e trovarsi quindi dalle parti di Juziers... Ad ogni modo è probabile che abbiano superato Poissy... Dipende da quanto tempo hanno aspettato alla chiusa di Bougival e a quella di Carrière...».

Qualche minuto dopo il commissario si affacciava all'ufficio degli ispettori.

«Qualcuno di voi, qui, conosce bene la Senna?».

Uno degli uomini domandò:

«A monte o a valle?».

«A valle... Verso Poissy... Anche più in là, probabilmente...».

«Io!... Ho una piccola barca, e ogni anno durante le vacanze scendo fino a Le Havre... La zona intorno a Poissy la conosco bene, perché è lì che lascio la barca...».

Si trattava di Neveu, un ispettore dall'aria grigia e piccoloborghese, che Maigret non immaginava così sportivo.

«Prendi una macchina di servizio in cortile... Mi porterai laggiù...».

Ma il commissario dovette far aspettare il suo uomo, perché Torrence rientrava in quel momento con i risultati della sua indagine.

«Il cane è effettivamente morto nella serata di lunedì» confermò. «La signora Guillot piange ancora quando ne parla... I due uomini lo hanno messo nel bagagliaio della macchina per andarlo a gettare nella Senna... Al caffè della rue de Turenne si ricordano di loro... Sono capitati lì poco prima della chiusura...».

«Che ora era?».

«Un po' dopo le undici e mezza... C'erano dei giocatori di belote, e il padrone aspettava che finissero la partita per chiudere il locale... La Guillot mi ha anche confermato, arrossendo, che il marito è rientrato tardi, non sa dire a che ora perché si era addormentata, e che era mezzo ubriaco... Ha persino giurato che era la prima volta e che bisognava attribuirlo all'emozione...».

Finalmente Maigret raggiunse Neveu, e l'auto s'infilò nel traffico in direzione della porte d'Asnières.

«Non si può seguire sempre il corso della Senna...» spiegò l'ispettore. «È sicuro che la chiatta abbia superato Poissy?...».

«È quello che sostiene il capo guardiano...».

Lungo la strada si cominciavano a vedere delle macchine scoperte, e alcuni conducenti guidavano allacciati alla loro compagna. Da una parte c'era chi piantava fiori nel giardino di casa, dall'altra una donna con un vestito azzurro dava da mangiare alle galline.

Con gli occhi socchiusi, Maigret sonnecchiava, in apparenza indifferente al paesaggio, e ogni volta che tornavano a scorgere la Senna Neveu annunciava il nome della località che stavano attraversando.

Videro così diversi battelli che salivano o scendevano placidamente lungo il fiume: qui una donna faceva il bucato sul ponte, là un'altra stava al timone con un bambinetto di tre o quattro anni accoccolato ai suoi piedi.

La macchina si fermò a Meulan, dov'erano ormeggiate numerose chiatte.

«Che nome ha detto, capo?».

«*De Zwarte Zwaan*... Significa cigno nero...».

L'ispettore scese dalla macchina, attraversò la banchina, attaccò discorso con alcuni battellieri e Maigret, da lontano, li vide gesticolare.

«Sono passati da qui mezz'ora fa» riferì Neveu rimettendosi al volante. «Visto che filano a dieci chilometri all'ora e anche più, ormai non devono essere lontani da Juziers...».

Oltrepassata di poco questa località, davanti all'isola di Montalet individuarono la chiatta belga che scendeva sul filo della corrente.

La superarono di due o trecento metri e Maigret andò a piazzarsi sull'argine. Qui, senza preoccuparsi di apparire ridicolo, si mise a fare dei gran gesti.

Con una sigaretta tra le labbra, Hubert, il più giovane dei due fratelli, teneva la barra del timone. Riconosciuto il commissario, andò ad affacciarsi al boccaporto e mise il motore al minimo. Poco dopo l'allampanato Jef Van Houtte spuntava sul ponte, prima la testa, poi il busto, infine l'intero corpo dinoccolato.

«Devo parlare con voi due...» gridò il commissario con le mani a mo' di megafono.

Jef gli fece segno che non sentiva per via del motore, mentre Maigret cercava di spiegargli che doveva fermarsi.

Si trovavano in aperta campagna. A circa un chilometro di distanza si scorgevano tetti rossi e grigi, muri bianchi, un distributore di benzina, l'insegna dorata di una locanda.

Hubert Van Houtte innestò la retromarcia mentre la giovane donna sporgeva a sua volta la testa fuori dal boccaporto, probabilmente per chiedere al marito cosa stesse succedendo.

La manovra fu piuttosto confusa. Da lontano si aveva l'impressione che i due uomini fossero in disaccordo: Jef, il maggiore, indicava il villaggio come per ordinare al fratello di proseguire fin là, mentre Hubert, al timone, si stava già avvicinando alla riva.

Non potendo agire diversamente, Jef si decise a buttare una cima che l'ispettore Neveu fu alquanto fiero di acchiappare da provetto marinaio. Sull'argine c'erano alcune bitte d'ormeggio, e pochi minuti dopo il battello si immobilizzava nella corrente.

«Che cosa vuole, ancora?» gridò Jef, che sembrava furioso.

Tra la riva e la chiatta c'erano parecchi metri, ma

lui faceva lo gnorri e non accennava neppure a gettare la passerella.

«Ma cosa crede, che si possa fermare così un battello? È il modo migliore per fare un incidente, glielo dico io...».

«Ho bisogno di parlarle...» rispose Maigret.

«Abbiamo parlato tutto il tempo che ha voluto, a Parigi... Non ho altro da dirle, io...».

«In tal caso mi vedo costretto a convocarla nel mio ufficio...».

«Come sarebbe?... Dovrei tornarmene a Parigi senza aver scaricato le mie tegole di ardesia?».

Hubert, più accondiscendente, faceva segno al fratello di calmarsi. Alla fine fu lui che gettò la passerella verso riva e che la superò, con un balzo da acrobata, per fissarla.

«Non ci badi, signore. Ma quello che dice è vero... Non si può fermare un battello in qualsiasi punto...».

Maigret salì a bordo piuttosto imbarazzato, in fondo, perché non sapeva esattamente quali domande avrebbe posto ai Van Houtte. Per di più si trovava nel dipartimento di Seine-et-Oise, e secondo il regolamento spettava alla polizia di Versailles, su commissione rogatoria, interrogare i due fiamminghi.

«Senta un po', pensa di trattenerci a lungo?».

«Non lo so».

«Guardi che noi non abbiamo intenzione di passare la notte qui. Facciamo ancora in tempo ad arrivare a Mantes prima del tramonto...».

«E allora proseguite pure...».

«Conta di venire con noi?...».

«Perché no?...».

«Questa poi...».

«Hai capito, Neveu?... Prosegui in auto fino a Mantes...».

«Che ne dici, Hubert, di questa trovata?».

«Lascia perdere, Jef... Con la polizia è inutile arrabbiarsi...».

Si intravedeva ancora, dal boccaporto, la testa bionda della giovane donna, e da giù arrivava un balbettio di bimbo. Come il giorno prima, dagli alloggi salivano buoni odori di cucina.

L'asse che serviva da passerella fu ritirata. Prima di salire in macchina Neveu sciolse gli ormeggi, che sollevarono luminosi spruzzi d'acqua.

«Visto che ha ancora delle domande, dica pure, la ascolto...».

Si udì di nuovo l'ansimare del motore e il rumore dell'acqua che batteva contro lo scafo.

Maigret, in piedi a poppa, si caricava lentamente la pipa pensando a che cosa dire.

6

«Ieri mi ha detto che l'automobile era rossa, vero?».

«Sissignore» (e lo diceva storpiandone la pronuncia come fanno i pagliacci del circo). «Rossa come il rosso di quella bandiera...».

E indicò con la mano la bandiera belga, nera, gialla e rossa, che sventolava a poppa.

Hubert era al timone e la giovane donna bionda era tornata sottocoperta per occuparsi della bambina. Riguardo a Jef, gli si leggeva in faccia quanto fosse combattuto tra due sentimenti opposti. Da una parte l'ospitalità fiamminga gli imponeva di accogliere il commissario come si deve, come si accoglie in casa un qualsiasi ospite, e persino di offrirgli un bicchierino di acquavite; dall'altra quella fermata in aperta campagna lo irritava alquanto e considerava il nuovo interrogatorio come un attentato alla sua dignità.

Con occhio sornione osservava l'intruso, il cui abbigliamento – completo da città e cappello nero – appariva del tutto fuori posto a bordo di un battello.

Quanto a Maigret, non si sentiva granché a suo agio e continuava a domandarsi come affrontare l'uomo che aveva davanti, un vero osso duro. Aveva una certa esperienza di individui del genere: uomini semplici, poco intelligenti, che credono sempre si voglia approfittare della loro ingenuità e, diffidando di tutti, fanno presto a diventare aggressivi o a chiudersi in un ostinato mutismo.

Non era la prima volta che il commissario conduceva un'inchiesta a bordo di una chiatta, anche se non gli capitava più da molto tempo. Si ricordava soprattutto di quelli che venivano chiamati un tempo barconi-scuderia, rimorchiati lungo i canali da un cavallo che passava la notte a bordo con il suo carrettiere.

Quei battelli erano tutti in legno e profumavano della resina che veniva periodicamente spalmata sulle loro superfici. L'interno, civettuolo, rammentava un po' quello di un villino di periferia.

Qui, attraverso la porta aperta, Maigret scoprì un arredamento più borghese, mobili in rovere, tappeti, vasi su centrini ricamati e una profusione di luccicanti utensili di rame.

«Dove si trovava quando ha sentito dei rumori sulla banchina? Era impegnato a riparare il motore, mi pare...».

Gli occhi chiari di Jef erano fissi su di lui, e sembrava che non sapesse ancora che contegno assumere, che lottasse contro la collera che gli saliva dentro.

«Senta, signore... Ieri mattina era presente quando il giudice mi ha fatto tutte queste domande... E lei me ne ha fatte delle altre... Poi l'ometto che accompagnava il giudice ha messo tutto nero su bianco, e nel pomeriggio è tornato con la deposizione e l'ho firmata... Giusto?».

«Sì, è così...».

«E adesso lei viene a chiedermi ancora le stesse cose... E allora le dico che non mi sta bene... Perché se mi sbaglio a rispondere lei penserà che le abbia mentito... Io non sono istruito, signore... Non sono andato a scuola quasi per niente... E neanche Hubert... Ma siamo tutti e due dei gran lavoratori, e anche Anneke lavora...».

«Sto solo cercando di verificare...».

«Ma cosa c'è da verificare?... Me ne stavo tranquillamente sul mio battello, come lei a casa sua... Un uomo è stato buttato in acqua e sono saltato nel canotto per ripescarlo... Non pretendo ricompense, né congratulazioni... Ma non è una ragione per venirmi a scocciare con delle domande... Ecco come la penso, signore...».

«Abbiamo rintracciato i due uomini dell'auto rossa...».

Jef si oscurò realmente in volto o fu solo un'impressione di Maigret?

«Be', non ha che da interrogarli...».

«Loro sostengono che quando sono scesi in macchina sull'argine non era mezzanotte ma le undici e mezza...».

«Forse il loro orologio era indietro, no?».

«Abbiamo controllato la testimonianza... Dopo, sono andati in un caffè della rue de Turenne e ci sono arrivati a mezzanotte meno venti...».

Jef guardò il fratello che si era girato quasi di scatto verso di lui.

«Perché non andiamo a sedere dentro?...».

La cabina, piuttosto spaziosa, fungeva da cucina e insieme da sala da pranzo, e uno spezzatino cuoceva a fuoco lento sulla stufa di smalto bianco. La signora Van Houtte, che stava allattando la piccola, scappò subito in un'altra stanza dove il commissario fece in tempo a vedere il letto coperto da una trapunta.

«Su, si metta a sedere...».

Sempre esitante, e come controvoglia, Jef andò a prendere dalla credenza con gli sportelli di vetro una piccola brocca in ceramica scura contenente acquavite di ginepro e due bicchieri dal fondo spesso.

Attraverso le finestre quadrate si scorgevano gli alberi lungo la riva e qua e là il tetto rosso di una villa. Ci fu un momento di silenzio, piuttosto lungo, durante il quale Jef restò in piedi con il bicchiere in mano. Alla fine bevette un sorso di acquavite, che tenne per un po' in bocca prima di mandar giù.

«È morto?» finì per domandare.

«No. E ha ripreso conoscenza».

«Che cosa dice?».

Questa volta fu Maigret a non rispondere. Guardava le tendine ricamate alle finestre, i portavasi di ottone con le piante sempreverdi, una fotografia con la cornice dorata appesa alla parete: raffigurava un uomo corpulento di una certa età, in maglione e berretto da marinaio.

Un tipo come se ne vedono spesso sui battelli, tarchiato, spalle gigantesche, con baffi da foca.

«Suo padre?».

«Nossignore... È il padre di Anneke...».

«Anche suo padre era marinaio?...».

«Mio padre, signore, faceva lo scaricatore, a Anversa... E non è un mestiere da cristiani quello, sa?...».

«Per questo lei è diventato battelliere?».

«Ho cominciato a lavorare sulle chiatte che avevo tredici anni e nessuno si è mai lamentato di me...».

«Ieri sera...».

Maigret credeva di averlo ammorbidito con delle domande indirette, ma l'uomo scrollò la testa.

«Nossignore... Non parlo tanto per parlare, io... Si rilegga la deposizione...».

«E se scoprissi che le sue dichiarazioni non sono esatte?».

«Faccia come crede, è un problema suo...».

«Ha visto i due uomini dell'automobile tornare da sotto il pont Marie?».

«Legga il verbale...».

«Loro sostengono di non aver oltrepassato la sua chiatta...».

«Uno può raccontare quello che vuole, no?».

«E affermano anche di non aver visto nessuno sulla banchina e di essersi limitati a gettare un cane morto nella Senna...».

«Non è colpa mia se hanno detto che era un cane...».

La giovane donna era tornata senza la bambina, che aveva probabilmente messo a dormire. Disse qualche parola in fiammingo al marito, che annuì, e cominciò a servire la zuppa.

Il battello rallentava. Maigret si domandò se non fossero già arrivati, ma dalla finestra vide un rimorchiatore e poi tre chiatte che risalivano a fatica la corrente. Stavano passando sotto un ponte.

«Questo battello appartiene a lei?».

«A me, sì, e a Anneke...».

«Suo fratello non ne è comproprietario?».

«Che cosa vuol dire?».

«Non ne possiede una parte?».

«No, signore. Il battello è mio e di Anneke...».

«E dunque Hubert è un suo dipendente...».

«Sissignore...».

Maigret cominciava ad abituarsi al suo accento, al suo continuo chiamarlo «signore», al caratteristico intercalare. Osservando lo sguardo della giovane donna, intuì anche che lei capiva solo qualche parola di francese, e che si chiedeva che cosa stessero dicendo i due uomini.

«Da molto tempo?».

«Più o meno due anni...».

«Prima lavorava su un altro battello? In Francia?».

«Lavorava in Belgio e in Francia, come noi... Dipende dai carichi...».

«Perché lo ha preso con sé?».

«Perché avevo bisogno di qualcuno, no?... È un battello grande, sa...».

«E prima?».

«Prima cosa?».

«Prima che lei facesse venire suo fratello...».

Maigret procedeva con cautela, scegliendo le domande più innocenti per evitare che il suo interlocutore si inalberasse di nuovo.

«Non capisco...».

«C'era qualcun altro ad aiutarla?».

«Certo...».

Prima di rispondere aveva lanciato un'occhiata alla moglie, come per assicurarsi che non avesse capito.

«E chi era?».

Jef riempì i bicchieri per prendere tempo.

«Ero io» finì per dichiarare.

«Lei era il marinaio?».

«Ero il macchinista».

«Il padrone chi era?».

«Mi chiedo se ha davvero il diritto di farmi tutte queste domande... Sono faccende private... E io sono belga, signore...».

Quando si innervosiva l'inflessione fiamminga si faceva più marcata.

«Che modi sono questi?... Sono affari miei, e lei non può ficcarci il naso solo perché sono fiammingo...».

Maigret impiegò qualche istante a capire le parole dell'uomo e non poté fare a meno di sorridere.

«Potrei tornare con un traduttore e interrogare sua moglie...».

«Non permetterò che Anneke venga infastidita...».

«Eppure sarà inevitabile, se mi presento con un'ordinanza del giudice... Mi sto chiedendo se non sarebbe più semplice portarvi tutti e tre a Parigi...».

«E che ne sarebbe allora del battello?... Sono sicuro che non ha il diritto di fare una cosa simile...».

«Perché non mi risponde, semplicemente?».

Van Houtte chinò un po' il capo guardando Maigret di sottecchi, come uno scolaro che mediti un tiro mancino.

«Perché sono affari miei...» ripeté.

In fondo aveva ragione. Maigret non aveva alcun motivo valido per assillarlo a quel modo. Seguiva il suo fiuto. Era rimasto colpito, salendo a bordo presso Juziers, dall'atteggiamento del fiammingo.

Non era esattamente lo stesso uomo che aveva conosciuto a Parigi. Jef si era mostrato sorpreso nel vedere il commissario sull'argine e aveva avuto una reazione brusca. Poi era rimasto sospettoso, chiuso in se stesso, senza quello scintillio nello sguardo, quella sorta di umorismo che ostentava al porto dei Célestins.

«Vuole che la porti alla centrale?».

«Non ha un motivo per farlo... Esistono delle leggi...».

«Il motivo è che lei si rifiuta di rispondere a domande di semplice routine...».

Si sentiva sempre l'ansimare del motore e si scorgevano le lunghe gambe di Hubert in piedi davanti alla barra del timone.

«Perché lei cerca di confondermi le idee...».

«Non cerco di confonderla ma di accertare la verità...».

«Quale verità?».

Alzava la testa, l'abbassava, ora sicuro dei propri diritti ora, al contrario, visibilmente preoccupato.

«Quando ha comprato questo battello?».

«Non l'ho comprato».

«Eppure le appartiene, no?».

«Sissignore, mi appartiene e appartiene a mia moglie...».

«In altre parole ne è diventato proprietario sposandola... Il battello era di Anneke?».

«Cosa c'è di strano? Ci siamo regolarmente sposati, davanti al borgomastro e al parroco...».

«Prima era il padre di sua moglie a governare lo *Zwarte Zwaan*?».

«Sissignore... Il vecchio Willems...».

«Non aveva altri figli?».

«Nossignore...».

«E sua moglie? Che ne è stato di lei?».

«Era morta da un anno...».

«Lei, Van Houtte, era già a bordo?».

«Sissignore...».

«Da molto tempo?».

«Willems mi ha assunto quando gli è morta la moglie... È stato a Audenarde...».

«Prima lavorava su un altro battello?».

«Sissignore... Sul *Drie Gebrouders*...».

«Perché ha cambiato?».

«Perché il *Drie Gebrouders* era una vecchia carretta che in Francia non ci veniva quasi mai e trasportava soprattutto carbone...».

«E questo non le piaceva?».

«È sporco, il carbone...».

«Quindi sono quasi tre anni che lei è a bordo dello *Zwarte Zwaan*... Quanti anni aveva Anneke all'epoca?».

Sentendo il suo nome, la giovane donna li guardò incuriosita.

«Diciott'anni aveva...».

«Sua madre era appena morta...».

«Sissignore... A Audenarde, gliel'ho già detto...».

Intanto tendeva l'orecchio al rumore del diesel, guardava la riva, andava a dire qualcosa al fratello che rallentava la velocità per passare sotto un ponte della ferrovia.

Pazientemente Maigret riprendeva il bandolo della matassa, cercava di seguire un filo sottilissimo.

«Fino a quel momento il battello veniva governato in famiglia, diciamo così... Morta la madre, c'è stato bisogno di qualcuno... È così?».

«Sì, è così...».

«Lei si occupava del motore?».

«Del motore e del resto... A bordo bisogna fare un po' di tutto...».

«Si è innamorato subito di Anneke?».

«Questa è una faccenda personale, signore, o no?... Riguarda solo me e mia moglie...».

«Quando vi siete sposati?».

«Il mese prossimo saranno due anni...».

«Quando è morto Willems? È sua la foto appesa alla parete, vero?».

«È lui, sì».

«E quando è morto?».

«Sei settimane prima del nostro matrimonio...».

Sempre più Maigret aveva l'impressione di avanzare a una lentezza scoraggiante: doveva dunque armarsi di pazienza, girare in tondo, in cerchi via via più stretti, per non spaventare il fiammingo.

«Le pubblicazioni erano già state fatte quando Willems è morto?».

«Da noi, le pubblicazioni vengono fatte tre settimane prima del matrimonio... Non so com'è in Francia...».

«Ma il matrimonio era previsto?».

«A quanto pare, dal momento che ci siamo sposati...».

«Le spiace chiederlo a sua moglie?».

«E perché mai?...».

«Se non glielo chiede lei, sarò costretto a farglielo chiedere da un interprete...».

«Be'...».

Stava per dire: «Si accomodi, allora!...».

E Maigret si sarebbe sentito alquanto imbarazzato. Si trovavano in Seine-et-Oise, dove il commissario non aveva alcun diritto di procedere a quell'interrogatorio.

Fortunatamente Van Houtte cambiò idea e si rivolse alla moglie nella sua lingua. Questa arrossì, sorpresa, guardò il marito, poi Maigret, e disse qualcosa accompagnando le parole con un leggero sorriso.

«Vuole tradurre, per favore?».

«Be', Anneke dice che ci amavamo da un bel po'...».

«Da quasi un anno, a quell'epoca?».

«Praticamente da subito...».

«In altre parole la cosa è cominciata quando lei è arrivato a bordo...».

«Che male c'è a...».

Maigret lo interruppe.

«Quello che mi domando è se Willems fosse al corrente...».

Jef rimase in silenzio.

«Immagino che almeno all'inizio, come la maggior parte degli innamorati, cercaste di tenere tutto nascosto...».

Di nuovo Jef guardò fuori senza rispondere.

«Stiamo per arrivare... Mio fratello ha bisogno di me sul ponte...».

Maigret lo seguì; in effetti si scorgevano le banchine di Mantes-la-Jolie, il pontile, e una dozzina di chiatte ormeggiate nel porto fluviale.

Il motore girò al minimo, e quando venne innestata la retromarcia ci fu un gran gorgogliare e spumeggiare d'acqua intorno al timone. Dagli altri battelli li osservavano, e fu un ragazzino di una dozzina d'anni ad afferrare la cima.

Era evidente che la presenza di Maigret, col suo completo da città e la lobbia in testa, stuzzicava la curiosità.

Da una chiatta qualcuno si rivolse a Jef in fiammingo, e lui rispose nella stessa lingua restando attento alla manovra.

L'ispettore Neveu, con una sigaretta incollata alle labbra, era in piedi sulla banchina, vicino alla piccola macchina nera di servizio, non lontano da un enorme cumulo di mattoni.

«Adesso spero che ci lascerà in pace... Tra poco è ora di cena... Siamo gente che si alza alle cinque del mattino, noi...».

«Non ha risposto alla mia domanda».

«Quale domanda?».

«Non mi ha detto se Willems era al corrente dei suoi rapporti con Anneke».

«Ma insomma, l'ho sposata o non l'ho sposata?».

«L'ha sposata quando lui è morto...».

«È colpa mia se è morto?».

«È stato malato a lungo?».

Si trovavano di nuovo a poppa, e Hubert li ascoltava aggrottando le sopracciglia.

«Mai stato malato in vita sua, a meno che l'essere sbronzo tutte le sere non sia considerato una malattia...».

Forse Maigret si sbagliava, ma gli parve che Hubert fosse sorpreso dalla piega che aveva preso il loro colloquio, e che guardasse il fratello con un'aria strana.

«È morto di delirium tremens?».

«Che roba è?».

«È come finiscono perlopiù gli ubriaconi... Hanno una crisi che...».

«Willems non ha avuto nessuna crisi... Era così sbronzo che è caduto...».

«In acqua?».

Jef non sembrava contento della presenza del fratello, che continuava ad ascoltarli...

«In acqua, sì...».

«E questo succedeva in Francia?».

Altro cenno di assenso da parte di Jef.

«A Parigi?».

«È a Parigi che beveva di più...».

«Perché?».

«Perché si incontrava con una donna, non so dove, e passavano gran parte della notte a ubriacarsi...».

«La conosce, lei, questa donna?».

«Il nome non lo so...».

«Sa dove abita?».

«No».

«L'ha mai vista con lui?».

«Mi è capitato di incontrarli, e una volta li ho visti che entravano in un albergo... Non è il caso di dirlo a Anneke...».

«Non sa come è morto suo padre?».

«Sa come è morto, ma non le abbiamo mai parlato di quella donna...».

«La riconoscerebbe?».

«Forse... Ma non ne sono sicuro...».

«Era con lui al momento dell'incidente?».

«Non lo so...».

«Com'è successo?».

«Non lo chieda a me, io non ero presente».

«Dov'era?».

«Nel mio letto...».

«E Anneke?».

«Anche lei nel suo letto...».

«Che ora era?».

Rispondeva con malagrazia, ma rispondeva.

«Le due passate...».

«Capitava spesso che Willems rientrasse così tardi?».

«A Parigi sì, per via di quella donna...».
«Insomma, che cosa è successo?».
«Gliel'ho già detto. È caduto».
«Attraversando la passerella?».
«Immagino di sì...».
«Era d'estate?».
«No, in dicembre...».
«Ha sentito il rumore della caduta?».
«Ho sentito l'urto contro lo scafo».
«E delle grida?».
«No, non ha gridato».
«Lei è corso subito in aiuto?».
«Certo».
«Senza star lì a vestirsi?».
«Mi sono giusto infilato un paio di pantaloni...».
«Anche Anneke ha sentito qualcosa?».
«Non subito... Si è svegliata quando sono salito sul ponte...».
«Quando stava salendo, o quando c'era già?».
Lo sguardo di Jef diventò quasi astioso.
«Lo chieda a lei... Se crede che me ne ricordi...».
«Ha visto Willems in acqua?».
«Non ho visto un bel niente... Lo sentivo solo annaspare...».
«Non sapeva nuotare?».
«Sì che sapeva nuotare. Ma evidentemente non c'è riuscito...».
«Lei è saltato subito nel canotto, come lunedì sera?».
«Sissignore...».
«È riuscito a tirarlo fuori dall'acqua?».
«Ci sono voluti dieci minuti buoni, perché ogni volta che cercavo di afferrarlo spariva sott'acqua...».
«Anneke stava sul ponte?».
«Sissignore...».
«Willems era già morto quando l'ha riportato su?».

«Non sapevo ancora che fosse morto... Posso dirle che era viola...».
«Sono venuti un dottore, la polizia?».
«Sissignore. Altre domande?».
«Dove avveniva tutto questo?».
«Gliel'ho detto, a Parigi».
«In quale punto di Parigi?».
«Avevamo caricato del vino a Mâcon e lo scaricavamo in quai de la Rapée...».
Maigret riuscì a dissimulare la sua sorpresa e la sua soddisfazione. Sembrava solo improvvisamente più bonario, come se la tensione nervosa si fosse allentata.
«Credo di aver quasi finito... Quindi Willems è annegato una notte all'altezza di quai de la Rapée, mentre lei dormiva a bordo e anche Anneke dormiva nel suo letto... È così?».
Jef sbatté le palpebre.
«E circa un mese dopo lei sposava Anneke...».
«Sarebbe stato sconveniente vivere insieme a bordo senza essere sposati...».
«Quando ha fatto venire suo fratello?».
«Subito... Tre o quattro giorni dopo...».
«Dopo il vostro matrimonio?».
«No. Dopo l'incidente...».
Il sole era sparito dietro i tetti rosa ma c'era ancora una luce un po' irreale, quasi inquietante.
Hubert, immobile vicino al timone, sembrava pensoso.
«Quanto a lei, immagino che non sappia niente...».
«A proposito di che cosa?».
«Di quello che è successo lunedì sera...».
«Stavo ballando in rue de Lappe, io...».
«E che cosa sa della morte di Willems?».
«Ho ricevuto il telegramma in Belgio...».
«Allora, la facciamo finita?» sbottò Jef Van Houtte, spazientito. «Possiamo andare a cena, una buona volta?».

E Maigret, calmissimo, in tono distaccato:
«Temo di no».
Quelle parole andarono a segno. Hubert alzò di scatto la testa e guardò non il commissario, ma il fratello. Quanto a Jef, lo sguardo più aggressivo che mai, domandò:
«E mi vuol dire perché non potrei mettermi a tavola?».
«Perché ho intenzione di portarla a Parigi».
«Non ne ha il diritto...».
«Entro un'ora posso disporre di un ordine di accompagnamento firmato dal giudice istruttore...».
«E perché, di grazia?».
«Per continuare altrove questo interrogatorio...».
«Quello che avevo da dire l'ho detto...».
«E anche per metterla a confronto con il barbone che ha ripescato dalla Senna lunedì sera...».
Jef si girò verso il fratello come per chiamarlo in aiuto.
«Hubert, tu credi che il commissario abbia il diritto di...».
Ma Hubert taceva.
«Dovrei salire sulla sua automobile?».
L'aveva riconosciuta, parcheggiata sulla banchina vicino a Neveu, e la indicava con la mano.
«E quand'è che potrò tornare sul mio battello?».
«Forse domani...».
«E se non sarà domani?».
«In tal caso è probabile che non ci torni più...».
«Ma che cosa dice?».
Serrava i pugni, e per un attimo Maigret credette che stesse per avventarsi su di lui.
«E mia moglie?... La mia bambina?... Che storie si sta inventando?... Ma avvertirò il console...».
«È un suo diritto...».
«Vuole scherzare, vero?».
Non riusciva ancora a crederci.

«Non può venire ad arrestare sul suo battello un uomo che non ha fatto niente...».

«Ma io non la sto arrestando...».

«E questo cos'è per lei, allora...».

«La porto a Parigi per un confronto con un testimone che non è trasportabile».

«Non lo conosco neanche, quello là... L'ho ripescato perché chiedeva aiuto... Se avessi saputo...».

Intanto era comparsa la moglie, che gli rivolse una domanda in fiammingo. Jef le rispose con loquacità. Lei allora guardò i tre uomini, uno dopo l'altro, poi disse ancora qualcosa, e Maigret ebbe la netta sensazione che consigliasse al marito di seguirlo.

«Dove conta di farmi dormire?».

«Le daremo un letto al Quai des Orfèvres...».

«In prigione?».

«No. Al commissariato...».

«Posso almeno cambiarmi?».

Maigret acconsentì, e Jef sparì insieme alla moglie. Rimasto solo in compagnia del commissario, Hubert rimase in silenzio, osservando distrattamente i passanti e le macchine sull'argine. Anche Maigret stava zitto: si sentiva sfinito da quell'interrogatorio a spizzichi e bocconi, durante il quale per almeno dieci volte, in preda allo sconforto, aveva pensato che stava facendo un buco nell'acqua.

Fu Hubert a parlare per primo, in tono conciliante.

«Non deve badargli... È una testa calda, ma non è cattivo...».

«Willems era al corrente dei rapporti di Jef con sua figlia?».

«Su un battello non è facile nascondersi...».

«Crede che l'idea di quel matrimonio gli piacesse?».

«Io non c'ero...».

«E pensa che sia caduto in acqua attraversando la passerella, una sera che era ubriaco?».

«Succede spesso, sa... Molti marinai muoiono così...».

Dall'interno giungeva l'eco di una discussione in fiammingo, e la voce di Anneke era supplichevole mentre quella del marito tradiva la collera. Si ostinava forse a non voler seguire il commissario?

La spuntò lei, perché alla fine Jef apparve sul ponte con i capelli ben ravviati, ancora umidi. Indossava una camicia bianca che metteva in risalto l'abbronzatura, un completo blu quasi nuovo, una cravatta a righe, scarpe nere, come per andare a messa la domenica.

Parlò ancora nella sua lingua con il fratello, senza guardare Maigret, poi, sceso a terra, si diresse verso l'automobile nera e rimase lì in attesa.

Il commissario aprì la portiera mentre Neveu li osservava entrambi con un certo stupore.

«Dove andiamo, capo?».

«Quai des Orfèvres».

Fecero l'ultimo tratto quando era ormai buio, con i fari che illuminavano ora gli alberi, ora le case di un villaggio, e infine le strade grigie della grande periferia.

Maigret fumava la pipa in un angolo senza aprir bocca. Neanche Jef Van Houtte fiatava e Neveu, impressionato da quell'insolito silenzio, si domandava cosa fosse mai accaduto.

«Ce l'ha fatta, capo?» si arrischiò a chiedere.

Non ricevendo risposta, si rassegnò a guidare e basta.

Quando entrarono nel cortile della Polizia giudiziaria erano le otto di sera. Poche le finestre illuminate, ma il vecchio Joseph era ancora al suo posto.

Nell'ufficio degli ispettori, tre o quattro uomini soltanto, fra i quali Lapointe che stava battendo a macchina.

«Fa' portar su dei panini e della birra...».

«Per quante persone?...».

«Per due... No, per tre, perché forse avrò bisogno di te... Sei libero?».

«Sì, capo...».

In mezzo all'ufficio di Maigret, Jef sembrava ancora più alto, più magro, con i lineamenti più marcati.

«Può mettersi a sedere, signor Van Houtte...».

Quel «signore» dovette suonare alle sue orecchie come una minaccia, perché aggrottò le sopracciglia.

«Adesso ci portano qualcosa da mangiare...».

«E quando vedrò il console?».

«Domani mattina...».

Seduto alla scrivania, Maigret telefonò alla moglie.

«Non torno per cena... No... Può darsi che debba passare qui anche parte della notte...».

Lei avrebbe voluto rivolgergli un sacco di domande ma, sapendo quanto il marito fosse interessato al barbone, si limitò a una.

«È morto?».

«No...».

Non gli chiese se avesse arrestato qualcuno. Se Maigret telefonava dal suo ufficio e prevedeva di doverci restare fino a notte fonda, significava che stava procedendo a un interrogatorio o che l'avrebbe cominciato di lì a poco.

«Buona notte...».

Il commissario guardò Jef con aria seccata.

«L'avevo invitata a sedersi...».

La vista di quel grande corpo immobile al centro dell'ufficio lo infastidiva.

«E se non avessi voglia di sedermi? Avrò pure il diritto di starmene in piedi, no?».

Maigret si limitò a sospirare e ad aspettare pazientemente il cameriere della brasserie Dauphine che doveva portare la birra e i panini.

7

Quelle notti, che otto volte su dieci si concludevano con una confessione, avevano finito per acquisire le loro regole, e addirittura le loro tradizioni, un po' come certi pezzi teatrali che vengono rappresentati centinaia di volte.

Sia gli ispettori in servizio nei diversi settori sia il ragazzo della brasserie Dauphine che aveva portato su i panini e la birra capirono subito cosa bolliva in pentola.

Il malumore, la collera più o meno smorzata non impedirono al fiammingo di mangiare con appetito né di scolarsi, sempre guardando Maigret di sottecchi, il suo primo mezzo litro di birra d'un sol fiato.

Non si sa se per sfida o per protesta mangiò ostentatamente in modo sguaiato, masticando con la bocca aperta, e sputando sul pavimento, così come lo avrebbe sputato nell'acqua, un pezzetto di prosciutto un po' tiglioso.

Il commissario, in apparenza calmo e ben disposto, finse di non accorgersi di quelle provocazioni e lo lasciò andare su e giù per l'ufficio come una belva in gabbia.

Fece bene? Fece male? Spesso la cosa più difficile, in un'inchiesta, è sapere a che punto bisogna giocare il tutto per tutto. Non esistono regole fisse. Non dipende da un particolare elemento. È solo una questione di fiuto.

Gli era capitato di cominciare senza un solo indizio valido e di spuntarla nel giro di poche ore. Altre volte, al contrario, sia pure con dei buoni atout e una dozzina di testimoni, c'era voluta tutta la notte.

Era importante poi trovare il tono giusto, diverso per ogni interlocutore, ed era appunto questa la sua preoccupazione mentre finiva di mangiare e osservava il fiammingo.

«Vuole un altro panino?».

«Quello che voglio è tornare sul mio battello, da mia moglie, ecco cosa voglio!».

Ma avrebbe finito per stancarsi di andare su e giù e per sedersi. Un tipo così non era il caso di trattarlo in modo brusco, e il metodo da adottare con lui era senz'altro quello del «ritornello»: cominciare con le buone, senza accusarlo; fargli notare una prima, irrilevante contraddizione, poi un'altra, quindi una colpa non troppo grave, in modo da attirarlo a poco a poco verso la trappola.

I due uomini erano soli. Maigret aveva dato un incarico a Lapointe.

«Ascolti, Van Houtte...».

«Sono ore che l'ascolto, no?».

«Se va così per le lunghe forse è perché lei non mi risponde francamente...».

«Mi dà del bugiardo, adesso?».

«Non l'accuso di mentire, ma di non dirmi tutto...».

«E se cominciassi io a farle delle domande su sua moglie, sui suoi figli...».

«Non ha avuto un'infanzia felice, vero?... Sua madre si occupava molto di lei?».

«Adesso tocca a mia madre?... Sappia che mia madre è morta quando avevo solo cinque anni... E che era una brava donna, una santa donna... Se in questo momento mi guarda dal cielo...».

Maigret si sforzò di non ribattere e di mantenere un'aria seria.

«Suo padre non si è risposato?».

«Mio padre, be', era diverso... Beveva...».

«E lei, a che età ha cominciato a guadagnarsi da vivere?».

«Mi sono imbarcato a tredici anni, gliel'ho già detto...».

«Ha altri fratelli oltre a Hubert? Una sorella?».

«Ho una sorella. E allora?».

«Niente. È solo per fare conoscenza...».

«Se è per fare conoscenza, dovrei interrogarla anch'io...».

«Non avrei alcun problema...».

«Dice così perché sta seduto nel suo ufficio e si crede onnipotente...».

Maigret sapeva fin dall'inizio che la cosa sarebbe stata lunga, difficile, perché Van Houtte non era intelligente. Invariabilmente, erano gli imbecilli a dargli più gatte da pelare: in genere si ostinano, rifiutano di rispondere, non esitano a ritrattare quello che hanno proclamato un'ora prima, senza fare una piega quando li si inchioda alle loro contraddizioni.

Con un indiziato intelligente, invece, spesso basta scoprire la pecca nel suo ragionamento, nel suo sistema, perché finisca per crollare.

«Penso, e non credo di sbagliarmi, che lei sia un gran lavoratore...».

Un'occhiata in tralice, carica di diffidenza.

«Eccome! Ho sempre lavorato sodo io...».

«Certi padroni probabilmente hanno approfittato del suo zelo e della sua giovane età... E un giorno ha incontrato Louis Willems, che beveva come suo padre...».

Immobile al centro della stanza, Jef lo guardava simile a un animale che fiuta il pericolo ma ancora si chiede come lo attaccheranno.

«Sono convinto che se non ci fosse stata Anneke lei non sarebbe rimasto a bordo dello *Zwarte Zwaan* e avrebbe cambiato battello...».

«La signora Willems era una brava donna...».

«E non era arrogante né autoritaria come il marito...».

«Chi le ha detto che era arrogante?».

«Non lo era?».

«Lui era il "boss", il padrone, e voleva che lo sapessero tutti...».

«Scommetto che la signora Willems, se fosse stata viva, non si sarebbe opposta al suo matrimonio con Anneke...».

Forse era stupido, ma aveva un istinto animalesco, e questa volta Maigret era andato un po' troppo per le spicce.

«Ma che bella storia! Anch'io posso inventarmi delle storie, sa!».

«Ma questa è la sua, di storia, almeno così come me l'immagino, anche a rischio di sbagliare».

«E peggio per me se mi sbatte in prigione perché si è sbagliato...».

«Mi ascolti senza interrompermi... La sua è stata un'infanzia infelice... Ancora ragazzino, le è toccato sfacchinare come un uomo... Poi incontra Anneke, che la guarda come nessun altro l'aveva mai guardata fino a quel momento... E che la considera non come il mozzo di bordo che deve farsi carico di tutte le corvè e beccarsi le lavate di capo del padrone, ma come un essere umano... È naturale che abbia preso ad amarla... E probabilmente la madre della ragazza, se fosse stata viva, avrebbe incoraggiato il vostro amore...».

Uff! L'uomo finì per sedersi, non ancora su una sedia ma sul bracciolo di una poltrona, ed era già un passo avanti.

«E dopo? È una bella storia, la sua, sa?...».

«Sfortunatamente la signora Willems è morta... Lei è rimasto a bordo con suo marito e Anneke, a contatto con la ragazza per tutto il giorno, e scommetto che Willems vi sorvegliava...».

«Questo lo dice lei...».

«Proprietario di un bel battello, non vedeva di buon occhio che la figlia sposasse uno squattrinato... E quando beveva, la sera, si comportava in modo sgradevole, brutale...».

Maigret si fece di nuovo prudente. Intanto continuava a osservare gli occhi di Jef.

«Crede che gli avrei permesso di mettermi le mani addosso?».

«Sono sicuro del contrario... Solo che non era su di lei che Willems alzava le mani... Ma su sua figlia... Chissà, forse vi ha sorpresi insieme...».

Meglio lasciar passare qualche istante, adesso, e mentre la pipa di Maigret fumava piano, nella stanza regnò un silenzio assoluto.

«Poco fa lei mi ha dato un'informazione interessante... Era soprattutto a Parigi che Willems usciva alla sera, perché incontrava un'amica e si ubriacavano insieme...

«Altrove, beveva a bordo o in qualche osteria nei pressi della banchina. Come tutti i marinai che – è stato lei a dirlo – si alzano all'alba, doveva andare a letto presto...

«A Parigi, dunque, lei e Anneke avevate l'occasione di rimanere soli...».

Si udirono dei passi e delle voci nell'ufficio accanto. Lapointe fece capolino dalla porta socchiusa.

«Missione eseguita, capo...».

«Ancora un attimo...».

E nell'ufficio ormai pieno di fumo continuò il «ritornello».

«Forse una sera è rientrato prima del solito e vi ha trovati abbracciati... Se è così, di certo è andato su tutte le furie... La sua collera doveva essere terribile... Forse l'ha messa alla porta... Ha picchiato la figlia...».

«È la storia che si sta inventando lei...» ripeté Jef, ironico.

«È la storia che sceglierei se fossi al suo posto... Perché allora la morte di Willems diventerebbe quasi un incidente...».

«Ma è stato un incidente...».

«Ho detto quasi... Non sostengo che lei lo abbia aiutato a cadere in acqua... Era ubriaco... Barcollava, camminava a zig zag... E magari quella notte pioveva...».

«Proprio così...».

«Lo vede!... Quindi la passerella era scivolosa... La sua colpa è stata quella di non avergli prestato aiuto immediatamente... A meno che non sia un po' più grave, e che lei non l'abbia spinto... Tutto questo succedeva due anni fa e il verbale della polizia parla di un incidente, non di un delitto...».

«E allora? Perché si ostina a incolpare me?».

«Cerco solo di far luce sui fatti... Supponga, adesso, che qualcuno l'abbia vista spingere in acqua Willems... Qualcuno che si trovava sulla banchina, e che lei non poteva vedere... Costui avrebbe potuto rivelare alla polizia che lei è rimasto un bel po' sul ponte del battello prima di saltare sul canotto, in modo che il suo padrone avesse tutto il tempo di morire...».

«E Anneke? Anche lei stava lì a guardare senza dir niente?».

«Alle due di notte è probabile che dormisse... Ad ogni modo l'uomo che l'ha vista, e che all'epoca dormiva sotto il pont de Bercy, alla polizia non ha detto niente...

«Ai barboni non piace ficcare il naso negli affari della gente... La loro visione del mondo è diversa da quella degli altri e hanno un'idea molto particolare della giustizia...

«Lei ha potuto sposare Anneke, e siccome aveva bisogno di qualcuno che l'aiutasse a bordo ha fatto venire suo fratello dal Belgio... Finalmente era felice... Adesso era lei il "boss"...

«Da allora è passato diverse volte per Parigi, e scommetto che ha sempre evitato di ormeggiare vicino al pont de Bercy...».

«Nossignore! Mi ci sono fermato almeno tre volte...».

«Perché il barbone non era più lì... Anche i senzatetto traslocano, e quello si era sistemato sotto il pont Marie...

«Lunedì, ha riconosciuto lo *Zwarte Zwaan*... E ha riconosciuto anche lei... Mi domando...».

E, come se gli fosse balenata un'idea nuova, proseguì:

«Mi domando se quando Willems è stato ripescato dall'acqua in quai de la Rapée lei non l'abbia visto... Sì... Deve proprio averlo visto... Lui si è avvicinato, ma non ha detto niente...

«Lunedì, quando si è messo a gironzolare intorno al suo battello, lei si è reso conto che poteva parlare... E non è escluso che abbia addirittura minacciato di farlo...».

Maigret non ci credeva. Non era nello stile del Dottore. Ma per il momento quella versione gli serviva.

«Allora lei ha avuto paura... E ha pensato che quello che era capitato a Willems poteva benissimo capitare a qualcun altro, più o meno nello stesso modo...».

«E l'ho gettato in acqua, vero?».

«Diciamo che può avercelo spinto...».

Jef si alzò di nuovo, più calmo di prima, più deciso.

«Nossignore! Non mi farà mai confessare una cosa simile, perché non è la verità...».

«Allora, se mi sono sbagliato su qualche punto, me lo dica...».

«L'ho già detto...».

«Che cosa?».

«L'ha messo nero su bianco l'ometto che accompagnava il giudice...».

«Lei ha dichiarato di aver sentito dei rumori intorno a mezzanotte...».

«Se l'ho detto, è vero».

«E ha aggiunto che, nello stesso momento, ha visto due uomini, uno dei quali indossava un impermeabile chiaro, provenire da sotto il pont Marie e precipitarsi verso un'automobile rossa...».

«Era rossa, sì...».

«Dunque sono passati accanto alla sua chiatta...».

Van Houtte non batté ciglio. Allora Maigret si diresse verso la porta e l'aprì.

«Prego, signori, entrate...».

Lapointe era andato a prendere l'agente delle assicurazioni e l'amico balbuziente. Li aveva trovati impegnati in una partita di belote a tre con la signora Guillot, e loro lo avevano seguito senza protestare. Guillot portava lo stesso impermeabile giallastro che aveva addosso la sera di lunedì.

«Sono questi i due uomini che si sono allontanati a bordo della macchina rossa?».

«Non è la stessa cosa vedere qualcuno di notte, su

una banchina male illuminata, e vederlo in un ufficio...».

«Ma questi signori corrispondono alla descrizione che lei ne ha dato...».

Jef scosse il capo, irremovibile.

«E quella sera si trovavano al porto dei Célestins. Vuole dirci, signor Guillot, che cosa avete fatto, una volta arrivati lì?».

«Siamo scesi giù per la rampa con l'auto...».

«A quale distanza dal ponte si trova quella rampa?».

«A più di cento metri».

«Avete fermato la macchina proprio in fondo alla rampa?».

«Sì».

«E poi?».

«Abbiamo tirato fuori il cane dal bagagliaio posteriore».

«Era pesante?».

«Nestor pesava più di me... Era settantadue chili due mesi fa, l'ultima volta che lo abbiamo pesato dal macellaio...».

«C'era una chiatta ormeggiata alla banchina?».

«Sì».

«E vi siete diretti tutti e due, con il vostro fardello, verso il pont Marie?».

Hardoin aprì la bocca per contestare ma per fortuna l'amico intervenne prima di lui.

«E perché saremmo dovuti andare fino al pont Marie?».

«Perché lo afferma il signore qui presente».

«Ci ha visti andare verso il pont Marie?».

«Non esattamente. Vi ha visti tornare da lì...».

I due amici si guardarono.

«Non può averci visti camminare accanto alla chiatta, perché abbiamo gettato il cane in acqua dietro la chiatta stessa... Ho perfino avuto paura che il sacco s'impigliasse nel timone, e ho aspettato un momento per assicurarmi che la corrente lo trascinasse al largo...».

«Ha sentito, Jef?».

E questi, imperturbabile:

«È la sua storia, no?... Anche lei mi ha raccontato la sua... E forse ce ne saranno ancora altre, di storie... Non è colpa mia...».

«Che ora era, signor Guillot?».

Ma Hardoin non si rassegnava a fare scena muta e cominciò:

«Le un... un... undici e... e...».

«Le undici e mezza» lo interruppe l'amico. «Infatti siamo arrivati al caffè della rue de Turenne a mezzanotte meno venti...».

«La sua automobile è rossa?».

«È una 403 rossa, sì...».

«Con due 9 nella targa?».

«7949 LF 75... Vuole vedere il libretto di circolazione?...».

«Desidera scendere giù in cortile per riconoscere la macchina, signor Van Houtte?».

«Non desidero un bel niente, solo tornare da mia moglie...».

«Come spiega queste contraddizioni?».

«È lei che deve spiegare... Non è compito mio...».

«Sa qual è stato il suo sbaglio?».

«Sì che lo so: di aver ripescato quell'uomo dall'acqua...».

«D'accordo... Ma non l'ha fatto di proposito...».

«Come non l'ho fatto di proposito?... Forse che ero sonnambulo quando ho staccato il canotto e con la gaffa ho cercato di...».

«Dimentica che qualcun altro aveva sentito gridare il barbone... Willems invece non aveva gridato, probabilmente colto da congestione nell'impatto con l'acqua fredda...

«Nel caso del Dottore, lei ha preso la precauzione di massacrarlo prima di botte... E s'immaginava che fosse morto o quasi, e che comunque, in balia della corrente e dei risucchi, non sarebbe riuscito a cavarsela...

«Quando lo ha sentito gridare aiuto è rimasto molto sgradevolmente sorpreso... E lo avrebbe lasciato gridare quanto voleva se non avesse sentito un'altra voce, quella del marinaio del *Poitou*... Lui la vedeva, in piedi sul ponte del suo battello...

«Allora ha pensato bene di recitare la parte del salvatore...».

Jef si limitò a stringersi nelle spalle.

«Quando un momento fa le dicevo che aveva commesso un errore, non è a questo che alludevo... Pensavo alla sua storia, quella che si era inventato per sviare ogni sospetto... E l'aveva ben perfezionata...».

L'assicuratore e l'amico, impressionati, guardavano ora il commissario ora il marinaio, e capirono finalmente che era in ballo la vita di un uomo.

«Alle undici e mezza lei non stava riparando il motore, come ha dichiarato, ma si trovava in un punto, vuoi sottocoperta, vuoi da qualche parte sul ponte, dal quale poteva vedere la banchina... Altrimenti non avrebbe visto l'automobile rossa...

«E ha visto anche gettare in acqua il cane... Il che le è tornato in mente quando la polizia le ha domandato cos'era successo...

«Ha pensato che la macchina non sarebbe stata rintracciata e ha parlato di due uomini che arrivavano da sotto il pont Marie...».

«Io la lascio dire, sa... Quei due raccontano quello che vogliono. E lei racconta quello che vuole...».

Di nuovo Maigret si diresse verso la porta.

«Entri, signor Goulet...».

Lapointe era andato a prendere anche lui, il marinaio del *Poitou*, il battello dal quale continuavano a scaricare sabbia al porto dei Célestins.

«Che ora era quando ha sentito delle grida provenienti dalla Senna?».

«All'incirca mezzanotte».

«Non può essere più preciso?».

«No».

«Era dopo le undici e mezza?».

«Sì, certo. Quando la faccenda si è chiusa, voglio dire quando il corpo è stato issato a riva ed è arrivato il poliziotto, era mezzanotte e mezza... Credo che l'agente abbia annotato l'ora sul suo taccuino... E non era passata più di una mezz'ora tra il momento in cui...».

«Che cosa ne dice, Van Houtte?».

«Io? Non dico un bel niente... Sono tutte storie...».

«E il poliziotto?».

«Racconta storie anche lui...».

Alle dieci di sera i tre testimoni se n'erano andati e dalla brasserie Dauphine avevano portato altri panini e altra birra. Maigret entrò nell'ufficio accanto per dire a Lapointe:

«Va' avanti tu...».

«Che cosa gli domando?».

«Quello che vuoi...».

La solita routine. A volte si davano il cambio in tre o quattro nel corso di una notte, ricominciando a fare più o meno le stesse domande in modo diverso e fiaccando a poco a poco la resistenza dell'indiziato.

«Pronto!... Mi passi mia moglie per favore...».

La signora Maigret non era ancora andata a dormire.

«Non stare alzata ad aspettarmi...».

«Sembri stanco... È dura?...».

Lo sentiva scoraggiato.

«Negherà fino alla fine, non mollerà di un millimetro... È il più bell'esemplare di cocciuto imbecille che mi sia mai trovato davanti...».

«E il Dottore?».

«Telefonerò per avere sue notizie...».

Infatti chiamò subito dopo l'ospedale e parlò con la guardia notturna di chirurgia.

«Sta dormendo... No, non ha dolori... Il professore è passato a vederlo dopo cena e lo considera ormai fuori pericolo...».

«Ha parlato?».

«Prima di addormentarsi mi ha chiesto dell'acqua...».

«Ha detto nient'altro?».

«No. Ha preso il solito sedativo e ha chiuso gli occhi...».

Maigret andò su e giù nel corridoio una mezz'ora buona, per dare a Lapointe – la cui voce gli giungeva come un brusio da dietro la porta – la possibilità di giocare le sue carte. Poi rientrò nell'ufficio, dove trovò Jef Van Houtte finalmente seduto su una sedia, le grandi mani posate sulle ginocchia.

L'espressione dell'ispettore diceva chiaramente che non aveva ottenuto alcun risultato, mentre il fiammingo, dal canto suo, ostentava un'aria beffarda.

«Ne avremo ancora per molto?» domandò guardando Maigret che riprendeva il suo posto. «Non si dimentichi che mi ha promesso di far venire il console. Gli racconterò tutto dei suoi metodi, e vedrà i giornali belgi...».

«Mi ascolti, Van Houtte...».

«Sono ore e ore che l'ascolto e lei continua a ripetere la stessa cosa...».

Poi, indicando col dito Lapointe:

«E quello là, idem... Ce n'è altri, dietro la porta, che verranno a farmi delle domande?...».

«Forse...».

«Be', avranno le stesse risposte...».

«Lei si è contraddetto diverse volte...».

«E anche se fosse?... Non sarebbe caduto in contraddizione anche lei, al mio posto?».

«Eppure li ha sentiti i testimoni...».

«I testimoni dicono una cosa... E io ne dico un'altra... Il che non significa che l'impostore sia io... Ho lavorato tutta la vita... Lo chieda in giro, a qualsiasi marinaio, cosa pensa di Jef Van Houtte... Non ce n'è uno che le dirà male di me...».

E Maigret ricominciò da capo, deciso a provarci fino in fondo, memore di un caso in cui l'uomo seduto di fronte a lui, coriaceo come il fiammingo, era improvvisamente crollato dopo sedici ore, quando il commissario stava ormai per arrendersi.

Fu una delle sue notti più estenuanti. Per due volte passò nell'ufficio accanto mentre Lapointe gli dava il cambio. Alla fine non c'erano più panini né birra, e avevano l'impressione di essere rimasti solo loro tre, come dei fantasmi, nei locali deserti della Polizia giudiziaria, dove le donne delle pulizie spazzavano i corridoi.

«È impossibile che lei abbia visto i due uomini camminare accanto alla chiatta...».

«La differenza tra noi è che io c'ero e lei no...».

«Li ha sentiti, però...».

«Parlare, parlano tutti...».

«Guardi che non l'accuso di premeditazione...».

«Che cosa vuol dire?».

«Non sostengo che lei sapesse in anticipo che lo avrebbe ucciso...».

«Chi? Willems o il tipo che ho tirato fuori dall'acqua? Perché a questo punto ce ne sono due, vero? E domani ce ne saranno forse tre, o quattro, o cinque... Fate presto, voi, ad accollarmene altri...».

Alle tre del mattino Maigret, sfinito, decise di darsi per vinto. Per una volta era lui, e non il suo interlocutore, a sentirsi scoraggiato.

«Basta così per oggi...» borbottò alzandosi.
«Allora posso tornare da mia moglie?».
«Non ancora...».
«Mi manda a dormire in prigione?».
«No, dormirà qui, in un ufficio dove c'è un letto da campo...».
Mentre Lapointe ve lo accompagnava, Maigret uscì dal palazzo della Polizia giudiziaria e, con le mani in tasca, camminò nelle strade deserte. Solo allo Châtelet riuscì a trovare un taxi.
Entrò in camera senza far rumore, ma la signora Maigret si mosse un po' nel letto e balbettò con voce assonnata:
«Sei tu?».
Come se avrebbe potuto essere qualcun altro!
«Che ora è?».
«Le quattro...».
«Ha confessato?».
«No».
«Credi che sia lui?».
«Ne sono moralmente certo...».
«Hai dovuto rilasciarlo?».
«Non ancora».
«Vuoi che ti prepari qualcosa da mangiare?».
Non aveva fame, ma prima di andare a dormire si versò un bicchierino di acquavite, il che non gli impedì di rigirarsi nel letto, insonne, per una buona mezz'ora.
Non lo avrebbe dimenticato per un pezzo, il marinaio belga!

8

Fu Torrence ad accompagnarli, quella mattina, perché Lapointe aveva passato il resto della notte al Quai des Orfèvres. Prima di avviarsi, Maigret aveva parlato piuttosto a lungo al telefono con il professor Magnin.

«Sono sicuro che da ieri sera ha ripreso del tutto conoscenza» aveva affermato questi. «Vi raccomando solo di non stancarlo... Non dimenticate che ha subìto uno shock molto forte e che ci vorranno settimane perché si ristabilisca completamente».

Procedevano tutti e tre sul lungosenna, nel sole; Van Houtte stava in mezzo, tra il commissario e Torrence, e li si poteva prendere per tre amici che andavano a spasso godendosi una bella mattina di primavera.

Van Houtte, che per mancanza del rasoio non si era fatta la barba, aveva le guance coperte di peli biondi che brillavano al sole.

Di fronte al Palazzo di Giustizia si erano fermati in un bar per bere un caffè e mangiare dei croissant. Il fiammingo ne aveva tranquillamente divorati sette.

Forse credeva che lo stessero portando al pont Marie per una sorta di ricostruzione, e rimase molto stupito che invece lo facessero entrare nel grigio cortile dell'ospedale, e quindi attraversare i corridoi di alcuni reparti.

Anche se a tratti aggrottava le sopracciglia, non sembrava preoccupato.

«Si può entrare?» chiese Maigret alla caposala.

Lei scrutò incuriosita il fiammingo e alla fine si strinse nelle spalle. Tutto questo andava al di là delle sue capacità di comprensione.

Per il commissario era l'ultima chance. Avanzò per primo nella camerata, seguito come al solito dagli occhi dei malati; dopo, e in parte nascosto da lui, veniva Jef, e Torrence chiudeva la fila.

Il Dottore li guardò arrivare senza apparente curiosità, e non mutò atteggiamento neanche quando scorse il marinaio.

Quanto a Jef, sembrava non perdersi d'animo, proprio come nel corso della notte. Con le braccia ciondoloni, l'espressione indifferente, osservava quello che per lui era uno spettacolo insolito: una sala d'ospedale.

Lo shock tanto sperato non si produsse.

«Vada avanti, Jef...».

«Cosa devo fare ancora?».

«Venga qui...».

«Bene... E dopo?».

«Lo riconosce?».

«Immagino che sia il tizio caduto in acqua, no?... Solo che quella notte aveva la barba...».

«Lo riconosce comunque?».

«Credo di sì...».

«E lei, signor Keller?».

Quasi trattenendo il fiato, Maigret teneva gli occhi fissi sul barbone che a sua volta lo guardava, finché questi non si decise, lentamente, a girarsi verso il fiammingo.

«Lo riconosce?».

Keller stava forse esitando? Al commissario pareva proprio di sì. Ci fu un lungo momento di attesa, poi il Dottore guardò di nuovo Maigret senza manifestare alcuna emozione.

«Lo riconosce?».

Cercava di dominarsi, improvvisamente infuriato contro quell'uomo che, adesso lo sapeva, aveva deciso di non dir niente.

Sul volto del barbone c'era infatti come l'ombra di un sorriso, e nei suoi occhi brillava un lampo di malizia.

Dischiuse appena le labbra e balbettò:

«No...».

«È uno dei due battellieri che l'hanno ripescata dalla Senna...».

«Grazie...» sussurrò con voce sommessa.

«Ed è ancora lui, ne sono quasi certo, che prima di gettarla in acqua l'ha colpita sulla testa...».

Silenzio. Il Dottore restò immobile, solo gli occhi erano vivi.

«Continua a non riconoscerlo?».

Quel dialogo era tanto più impressionante in quanto si svolgeva sottovoce, con due file di malati a letto che li spiavano tendendo l'orecchio.

«Non vuole parlare?».

Keller sempre immobile.

«Eppure lei sa perché l'ha aggredita...».

Lo sguardo si fece più interessato. Il barbone sembrava sorpreso che Maigret si fosse avvicinato tanto alla verità.

«La cosa risale a due anni fa, quando lei dormiva ancora sotto il pont de Bercy... Una notte... Mi ascolta?».

L'altro fece segno che sì, lo ascoltava.

«Una notte di dicembre, lei ha assistito a una scena in cui quest'uomo era coinvolto...».

Keller sembrava ancora esitante sulla decisione da prendere.

«Un altro uomo, il padrone della chiatta vicino alla quale lei dormiva, è stato spinto nel fiume... Ma quello là ci ha lasciato la pelle...».

Ancora silenzio e, alla fine, solo un'assoluta indifferenza sul volto del barbone.

«È così?... Rivedendola lunedì in quai des Célestins l'omicida ha avuto paura che lei parlasse...».

Keller mosse appena la testa, con fatica, giusto quel tanto per poter vedere Jef Van Houtte.

E nel suo sguardo non c'era odio, né rancore, solo una certa curiosità.

Maigret capì che non avrebbe ottenuto niente da quell'uomo, e quando la caposala venne a dir loro che il tempo della visita era scaduto, non insistette oltre.

Nel corridoio il fiammingo rialzò la testa.

«Be', complimenti!».

Aveva ragione. Aveva vinto lui.

«Ne posso inventare anch'io di storie...» esultò.

E Maigret non poté impedirsi di borbottare fra i denti:

«Ma chiudi il becco!».

Mentre Jef, scortato da Torrence, veniva trattenuto negli uffici del Quai des Orfèvres, Maigret passò quasi due ore nello studio del giudice Dantziger. Questi aveva telefonato al sostituto procuratore Parrain chiedendogli di raggiungerli, e il commissario fece il suo bravo resoconto esponendo i fatti dal principio alla fine e nei minimi dettagli.

Il giudice prese qualche appunto a matita, e quando Maigret ebbe finito sospirò:

«Insomma, contro di lui non abbiamo uno straccio di prova...».

«Neanche una, no...».

«C'è solo la faccenda delle ore che non coincidono... Ma qualsiasi buon avvocato dimostrerebbe facilmente l'infondatezza di questo argomento...».

«Lo so...».

«Le resta qualche speranza di ottenere una confessione?».

«Nessuna» dovette ammettere il commissario.

«E il barbone continuerà a tacere?».

«Sì, ne sono convinto».

«Per quale ragione crede che abbia scelto questo atteggiamento?».

Era molto difficile da spiegare, specie a persone che non avevano mai avuto a che fare con i poveracci che dormono sotto i ponti.

«Già, per quale ragione?» intervenne il procuratore. «In fondo, ha rischiato di lasciarci la pelle... Secondo me, dovrebbe...».

Secondo lui, certo, sostituto procuratore che viveva in un appartamento di Passy con moglie e figli, organizzava partite settimanali di bridge e si preoccupava solo della sua carriera e degli scatti di stipendio.

Non secondo un barbone.

«Esiste pur sempre una giustizia...».

Come no! Ma quelli che dormono sotto i ponti anche in pieno inverno, fasciati di giornali vecchi per stare caldi, di quella giustizia lì non si preoccupano proprio.

«Lo capisce, lei?».

Maigret si trattenne dal rispondere «sì» perché lo avrebbero senz'altro guardato male.

«Il problema, vede, è che lui non crede che un processo in Corte d'assise, una requisitoria, delle arringhe, una decisione dei giurati e la prigione siano cose tanto importanti...».

Che cosa avrebbero detto, tutti e due, se avesse

raccontato loro della biglia fatta scivolare nella mano del barbone ferito? O se li avesse semplicemente informati che l'ex dottor Keller, la cui moglie abitava nell'Île Saint-Louis e la cui figlia aveva sposato un grosso imprenditore di prodotti farmaceutici, teneva in tasca delle biglie di vetro come un ragazzino di dieci anni?

«Continua a richiedere l'intervento del console?».

Adesso si trattava ancora di Jef.

E il giudice, dopo un'occhiata al sostituto procuratore, mormorò, esitante:

«Per come stanno le cose, non penso di poter firmare un mandato d'arresto... E a quanto lei mi dice non servirebbe a niente che lo interrogassi anch'io...».

Quello che non aveva potuto ottenere Maigret, in effetti, non lo avrebbe certo ottenuto il magistrato.

«Allora?».

Allora, come il commissario sapeva arrivando, la partita era persa. Non restava che rilasciare Van Houtte, che magari avrebbe perfino preteso delle scuse.

«Mi dispiace, Maigret... Ma al punto in cui ci troviamo...».

«Capisco...».

Un momento così era sempre sgradevole. Non era la prima volta che succedeva – e sempre con degli imbecilli!

«Sono desolato, signori...» mormorò accomiatandosi.

Un po' più tardi, nel suo ufficio, ripeteva:

«Sono desolato, signor Van Houtte, e mi scuso... Solo per la forma, comunque... Perché non ho cambiato opinione: resto persuaso che lei abbia ucciso il suo padrone, Louis Willems, e che abbia poi fatto di tutto per togliere di mezzo il barbone, che era un testimone scomodo...

«Ciò detto, niente le impedisce di tornare alla sua chiatta, da sua moglie e dalla sua bambina...

«Addio, signor Van Houtte...».

La reazione del battelliere fu spiazzante: non protestò, si limitò a guardare il commissario con una certa sorpresa e, fermatosi sul limite della porta, alzò il lungo braccio e tese la mano, borbottando:

«Capita a tutti di sbagliarsi, no?».

Maigret evitò quella mano, e cinque minuti dopo si tuffava nelle scartoffie dedicandosi con accanimento alle pratiche di ordinaria amministrazione.

Nelle settimane seguenti si procedette a ulteriori, difficili accertamenti, sia nella zona di Bercy che in quella del pont Marie, molte persone vennero interrogate e la polizia belga inviò rapporti che andarono ad aggiungersi, invano, ad altri rapporti.

Quanto al commissario, per tre mesi fu visto spesso al porto dei Célestins, la pipa fra i denti e le mani in tasca, come uno sfaccendato. Il Dottore era finalmente uscito dall'ospedale. Aveva ripreso possesso del suo angolino sotto l'arcata del ponte, e gli erano stati restituiti tutti i suoi tesori.

Di tanto in tanto a Maigret capitava di fermarsi vicino a lui, come per caso. Le loro conversazioni erano brevi.

«Tutto bene?».

«Sì, tutto bene...».

«Soffre ancora per i postumi della ferita?».

«Qualche capogiro di tanto in tanto...».

Anche se evitavano di parlare del caso, Keller sapeva perfettamente che cosa veniva a cercare Maigret, e Maigret sapeva che l'altro lo sapeva. Era diventato una sorta di gioco, tra loro.

Un giochetto che andò avanti fino al cuore dell'estate, quando, una mattina, il commissario si fermò davanti al barbone che mangiava un pezzo di pane accompagnandolo con del vino rosso.
«Tutto bene?».
«Tutto bene!».
Forse a quel punto François Keller decise che il suo interlocutore aveva aspettato abbastanza... Guardava una chiatta ormeggiata, una chiatta belga che non era la *Zwarte Zwaan*, ma che le assomigliava.
«Quella gente fa una bella vita...» osservò.
E indicando due bambini biondi che giocavano sul ponte aggiunse:
«Soprattutto loro...».
Maigret lo guardò negli occhi, con aria grave e con il presentimento che qualcosa doveva ancora accadere.
«La vita non è facile per nessuno...» riprese il barbone.
«Neanche la morte...».
«Quello che è impossibile, è giudicare».
Si erano capiti.
«Grazie...» mormorò il commissario. Finalmente sapeva.
«Di niente... Non ho detto niente...».
E aggiunse, come il fiammingo:
«Vero?».
Non aveva detto niente, infatti. Si rifiutava di giudicare. Non avrebbe testimoniato. Nondimeno a metà del pranzo Maigret disse incidentalmente alla moglie:
«Ti ricordi della chiatta e del barbone?».
«Sì. Ci sono novità?».
«Non mi ero sbagliato...».
«Allora lo hai arrestato?».
Lui scrollò il capo.
«No! A meno che commetta qualche impruden-

za, cosa che da parte sua mi stupirebbe molto, non lo arresteremo mai».

«Il Dottore ti ha parlato?».

«In un certo senso sì...».

Con gli occhi molto più che con le parole. Si erano capiti, e Maigret sorrise al ricordo di quella sorta di complicità che si era stabilita tra loro, per un attimo, sotto il pont Marie.

Noland (Vaud), 2 maggio 1962

GLI ADELPHI

ULTIMI VOLUMI PUBBLICATI:

260. Muriel Spark, *Gli anni fulgenti di Miss Brodie*
261. Bruce Chatwin, *Anatomia dell'irrequietezza* (4ª ediz.)
262. Leonardo Sciascia, *Candido* ovvero *Un sogno fatto in Sicilia* (3ª ediz.)
263. Georges Simenon, *Maigret e il ministro* (4ª ediz.)
264. Jack London, *Il vagabondo delle stelle* (4ª ediz.)
265. Sándor Márai, *La recita di Bolzano* (2ª ediz.)
266. Georg Groddeck, *Il linguaggio dell'Es*
267. Mordecai Richler, *La versione di Barney* (8ª ediz.)
268. W. Somerset Maugham, *La diva Julia* (3ª ediz.)
269. Evelyn Waugh, *Quando viaggiare era un piacere* (2ª ediz.)
270. Roberto Calasso, *K.*
271. Georges Simenon, *Maigret e la giovane morta* (5ª ediz.)
272. *Le Apocalissi gnostiche*, a cura di Luigi Moraldi (2ª ediz.)
273. Georges Simenon, *Maigret prende un granchio* (4ª ediz.)
274. Gustav Meyrink, *L'angelo della finestra d'Occidente*
275. Georges Simenon, *La casa sul canale* (2ª ediz.)
276. Charles Rosen, *La generazione romantica*
277. Georges Simenon, *Maigret e il corpo senza testa* (4ª ediz.)
278. Frank Wedekind, *Mine-Haha*
279. Eric Ambler, *Motivo d'allarme* (2ª ediz.)
280. Pietro Citati, *La primavera di Cosroe*
281. W.G. Sebald, *Austerlitz* (2ª ediz.)
282. Georges Simenon, *Maigret si diverte* (4ª ediz.)
283. James D. Watson, *DNA*
284. Porfirio, *L'antro delle Ninfe*
285. Glenway Wescott, *Il falco pellegrino*
286. Leonardo Sciascia, *Il contesto* (2ª ediz.)
287. Benedetta Craveri, *La civiltà della conversazione*
288. Patrick Leigh Fermor, *Mani*
289. Wolfgang Goethe, *Wilhelm Meister. Gli anni dell'apprendistato*
290. Georges Simenon, *Gli scrupoli di Maigret* (3ª ediz.)
291. William S. Burroughs, *Pasto nudo* (3ª ediz.)
292. Andrew Sean Greer, *Le confessioni di Max Tivoli*
293. Georges Simenon, *Maigret e i testimoni recalcitranti* (3ª ediz.)
294. R.B. Onians, *Le origini del pensiero europeo*
295. Oliver Sacks, *Zio Tungsteno*
296. Jack London, *Le mille e una morte*
297. Vaslav Nijinsky, *Diari*
298. Ingeborg Bachmann, *Il trentesimo anno* (2ª ediz.)

299. Georges Simenon, *Maigret in Corte d'Assise* (3ª ediz.)
300. Eric Ambler, *La frontiera proibita*
301. James Hillman, *La forza del carattere*
302. Georges Simenon, *Maigret e il ladro indolente* (3ª ediz.)
303. Azar Nafisi, *Leggere Lolita a Teheran* (8ª ediz.)
304. Colette, *Il mio noviziato*
305. Sándor Márai, *Divorzio a Buda*
306. Mordecai Richler, *Solomon Gursky è stato qui*
307. Leonardo Sciascia, *Il cavaliere e la morte*
308. Alberto Arbasino, *Le piccole vacanze* (2ª ediz.)
309. Madeleine Bourdouxhe, *La donna di Gilles* (2ª ediz.)
310. Daniel Paul Schreber, *Memorie di un malato di nervi*
311. Georges Simenon, *Maigret si confida* (3ª ediz.)
312. William Faulkner, *Mentre morivo*
313. W.H. Hudson, *La Terra Rossa*
314. Georges Simenon, *Maigret si mette in viaggio* (3ª ediz.)
315. *Elisabetta d'Austria nei fogli di diario di Constantin Christomanos*
316. Pietro Citati, *Kafka*
317. Charles Dickens, *Martin Chuzzlewit*
318. Rosa Matteucci, *Lourdes*
319. Georges Simenon, *Maigret e il cliente del sabato* (4ª ediz.)
320. Eric Ambler, *Il levantino*
321. W. Somerset Maugham, *Acque morte*
322. Georges Simenon, *La camera azzurra* (3ª ediz.)
323. Gershom Scholem, *Walter Benjamin. Storia di un'amicizia*
324. Georges Simenon, *Maigret e le persone perbene* (3ª ediz.)
325. Sándor Márai, *Le braci* (2ª ediz.)
326. Hippolyte Taine, *Le origini della Francia contemporanea. L'antico regime*
327. Rubén Gallego, *Bianco su nero*
328. Alicia Erian, *Beduina*
329. Anna Maria Ortese, *Il mare non bagna Napoli* (2ª ediz.)
330. Pietro Citati, *La colomba pugnalata*
331. Georges Simenon, *Maigret e i vecchi signori* (2ª ediz.)
332. Benedetta Craveri, *Amanti e regine*
333. Daniil Charms, *Casi*
334. Georges Simenon, *Maigret perde le staffe*
335. Frank McCourt, *Ehi, prof!*
336. Jiří Langer, *Le nove porte*
337. Russell Hoban, *Il topo e suo figlio*
338. Enea Silvio Piccolomini, *I commentarii*, 2 voll.

Le inchieste di Maigret

VOLUMI PUBBLICATI:

Pietr il Lettone
L'impiccato di Saint-Pholien
La ballerina del Gai-Moulin
Il defunto signor Gallet
Il porto delle nebbie
Il cane giallo
Il pazzo di Bergerac
Una testa in gioco
La balera da due soldi
Un delitto in Olanda
Il Crocevia delle Tre Vedove
Il caso Saint-Fiacre
La casa dei fiamminghi
Liberty Bar
L'ombra cinese
Il cavallante della «Providence»
All'Insegna di Terranova
La chiusa n. 1
La casa del giudice
Maigret
I sotterranei del Majestic
L'ispettore Cadavre
Le vacanze di Maigret
Firmato Picpus
Il mio amico Maigret
Maigret a New York
Maigret e la vecchia signora
Cécile è morta
Il morto di Maigret
Maigret va dal coroner
Félicie
La prima inchiesta di Maigret
Maigret al Picratt's
Le memorie di Maigret
La furia di Maigret
Maigret e l'affittacamere
L'amica della signora Maigret
Maigret e la Stangona
Maigret, Lognon e i gangster
La rivoltella di Maigret
Maigret a scuola
Maigret si sbaglia
Maigret ha paura
Maigret e l'uomo della panchina
La trappola di Maigret
Maigret e il ministro
Maigret e la giovane morta
Maigret prende un granchio
Maigret e il corpo senza testa
Maigret si diverte
Gli scrupoli di Maigret
Maigret e i testimoni recalcitranti
Maigret in Corte d'Assise
Maigret e il ladro indolente
Maigret si confida
Maigret si mette in viaggio
Maigret e il cliente del sabato
Maigret e le persone perbene
Maigret e i vecchi signori
Maigret perde le staffe

FINITO DI STAMPARE NEL NOVEMBRE 2008
DALLA TECHNO MEDIA REFERENCE S.R.L. - CUSANO (MI)

Printed in Italy

GLI ADELPHI
Periodico mensile: N. 339/2008
Registr. Trib. di Milano N. 284 del 17.4.1989
Direttore responsabile: Roberto Calasso